ARと読むシリーズ

GREAT BOOK OF EXPLORERS

イラスト：セザール・サマニエゴ

テキスト：カルメン・ドミンゴ

世界の冒険家

をもっと楽しむ！！

● 本の中を探検しよう！

スマートフォンやタブレットで専用アプリをダウンロードして
本の中に隠れている画像や音楽、アニメーション、ゲームを探してみよう。

1 アプリをダウンロードする

専用アプリはアプリストアから、無料でダウンロードできます。
「世界の冒険家 AR」と検索してください。
下記の QR コードからもジャンプできます。

2 本にかざす

アプリを起動して、下のアイコンがある
ページにかざしてください。

3 楽しむ！

本に印刷されていない様々な
コンテンツを楽しむことができます。
アプリは、インターネットへの
接続を必要とします。

※ QR コードからも探せます。

Download on the App Store

詳しくはウェブサイトをご覧ください。 http://www.books2ar.net/glx/jp

ドレーク船長と遊ぼう！

アプリ内でゲームをすることができます。
敵からの攻撃をうまくかわそう！

【ARアプリ基本アイコン】

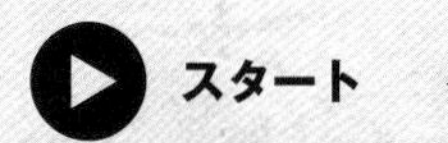

- スタート
- トップ画面に戻る
- やり直す
- 言語を変更
- ヘルプ
- ウェブサイトを表示

動作環境

iOS 6.0 以上 /Android 4.4 以上　★各アプリストアのダウンロードページにも記載しております。

※ 上記推奨環境以外でのご使用の場合はデザインおよび一部の機能で不具合が発生する場合がございます。その場合は最新のバージョンにアップデートしてください。
※ 下記の Android 端末では不具合が発生する場合がございます。
・ARMv6 プロセッサ搭載端末 : HTC Hero、HTC Magic（HT-03A）、HTC Wildfire、HTC Tattoo、GALAXY Ace など
・NEON のサポートがない ARMv7 プロセッサ搭載端末 : GALAXY Tab 10.1、LG Optimus 2X、Sony Tablet S、ICONIA-A100 など
※ 仕様は予告なく変更される場合があります。

● スタンプをゲットしよう！

スタンプ検索で『 GREAT BOOK OF EXPLORERS AR 』と検索すれば購入画面が表示されます。

もくじ

旅に出る前に…

世界地図を一度よく目を凝らして見てみよう。大陸といくつもの島々、果てしなく広がる海、国と国の途方もない距離…。地図には見えない文化の違いだってある。そしてそれは素敵な驚きを与えてくれる。君が今手にしているこの本は、ページを一枚めくるだけで素晴らしい場所へと旅することができるんだ。好奇心旺盛で怖いもの知らずの探検隊たちが、君のお供をしてくれる。
オンボロの飛行機に乗って空高く飛び回り、深い深い海の中へと潜り込む。
そう、彼らは想像もつかないほど勇気に溢れた冒険家なんだ。

想像力を働かせよう！

これは世界を旅するための約束のようなもの。これから始まる物語は空想の世界だと勘違いしてしまうかもしれない。実在した冒険家たちの偉業を体験して、神秘的な国々についての理解を深めていこう。
これまで、おとぎ話の中にしか存在しないと思い込んでいたかもしれないけど…。
でもね、実際は本当の本当に存在する世界なんだよ。

これから紹介する歴史を作った先人たちは、素晴らしいガイドとなってくれるだろう。

彼らと一緒に冒険の旅に出ない？

1. ジャック・カルティエ

JACQUES CARTIER（1491-1557）

北アメリカ大陸

イギリス、スペイン、ポルトガルなど多くのヨーロッパの国々が、新しい領土を勝ち取っていました。

けれどフランスは、その競争からかなりの遅れをとっていました。

「我が船団の中に、北アメリカ大陸に詳しい船員はいるかね？」　国王フランソワ１世は相談役の１人に尋ねました。

「はい陛下。ジャック・カルティエ、彼ならニューファンドランド島へ向かい、我々の領土を広げることができるでしょう。

さらに、富と財産も持ち帰れるはずでございます。」

「香辛料や宝石を持ち帰ってくれ。必ず成功するのだ！新しい領地の征服に遅れをとってはならぬぞ！」と

国王は言いました。

そうして、ジャック・カルティエは、この国王からの申し出をためらいもなく受け入れました。

しかし、遠くて危険な航海に、喜んで参加する船員を見つけるのに苦労しました。

「ジョバンニ・ダ・ベラッツァーノのように、人食い人に食べられるために航海をしろとおっしゃるんですかい？」

これまでに同じ航海へ旅立った者に何が起きたのかを知っていた船員たちは、カルティエにこう尋ねました。

「新しい航路がある。この航海はトラブル知らずだ！中国へ向かう新しい北西ルートを発見するだろう。

この航海が、国王と我々に何をもたらすのか分かっているのか！？名誉、勲章、富と財産だぞ！」

カルティエがそう言っても、やはり船員集めはなかなか上手くいきませんでした。あまりに難しかったので

『カルティエが船員を集められるまで、フランスの港から船の出港を一切禁止する』という国王命令が

出されたほどでした。こうして、なんとか船員を集めてフランスを出発し、約３週間後にカナダの

ニューファンドランド島に到着しました。カルティエと船員たちは陸地に上がると、

まだ地図に描かれていないルートがないか北へ向かって調査を始めました。

「この土地には、先住民がいるはずだ。」カルティエはそう考えていました。
そして、「先住民に遭遇したら、十分に気をつけるんだぞ」と船員に注意をうながしていました。

そんなある日、ついにカルティエたちは先住民の漁師の集団に遭遇しました。
彼らはヨーロッパ人に興味がありましたが、何も話しかけず、少し距離を置いて
カルティエたちのことを見つめていました。
「冷静に、そして優しく接するんだぞ。我々には、彼らの協力が必要なのだから。」
カルティエは、集団を指差しながら船員に話しました。
「彼らが攻撃してきた時のために砦を作ろう」とカルティエの義理の兄は言いました。
「いや、まず彼らの信頼を得る必要がある。」
「良心の証として、小さな装身具を彼らに残していけ」とカルティエは船員たちに指示を出しました。
先住民たちは、その贈り物を取りにきました。
同じことが、次の日もまた次の日も繰り返され、先住民たちはフランス人を信頼するようになりました。
漁師で首長のドンナコナの息子２人が捕まるまで…。

「先住民の言葉を尊重したいのだ。カナダという新しい領地を探検するため、我々のお供をしてくれ」
とカルティエは、息子らに告げました。

「船長！漁師たちがやってきます。武器を手に、とても怒っているようです！」
「私が話に行く。」
「ドマガヤとタイニョアニは私の息子です。息子たちを返してください！」
漁師の首長ドンナコナは言いました。
それに対するカルティエの返事はこうでした。
「君たちにこれまでしてきたように、君の息子たちも大切に面倒をみています。
だから、彼らのことは心配しないでください。フランスまでの航海のお供をしてもらい、
無事に連れて帰ってきます。たくさんの贈り物を手に、この土地に戻ってきますから。」
息子たちがフランス人の元で大切に扱われるというカルティエの説得は、ドンナコナに受け
入れられました。

カルティエが出発した際も、ドンナコナは何も言わず送り出してくれました。

出発して数日後…。

「船員たちが死にそうです！壊血病にかかったようです！これでは船員は、あっという間に１人残らず死んでしまいます！」

１週間もたたないうちに、船員の半分以上が病に倒れ、その多くが命を落としました。

「この病はドマガヤとタイニョアニが持ち込んだのだ！彼らを殺しましょう！」

恐怖のあまり、船員はこんなことを言い始めました。

「落ち着け！」

カルティエは大声で怒鳴りました。

「もしそうだとしたら、それを治す方法を知っているに違いない。」

カルティエの考えは正解でした。

「これは壊血病です。」

「陸へと向かってください。この病を治すには、ヌマヒノキ（ホワイトシダー）の木の皮が必要です。」

「船員に指示を出しなさい。」

カルティエは先住民たちに命令し、治療の準備が始まりました。

みな、不安な面持ちで経過を見ていました。

「効いたぞ！回復し始めたぞ！」船員たちは喜び、歓声を上げました。

「これでフランスへ戻れる！」

「でも半分以上の船員がが命を落としてしまった…。」彼らは失望しました。

「よし、彼らのためにフランスに帰ろう。この宝石を持って国王の元へ。そして、また１年後に戻ることにする。」

カルティエは、こう宣言しました。

ただ、この“宝石”とは、実際のところクオーツや黄鉄鉱であり、ほとんど価値がありませんでした。

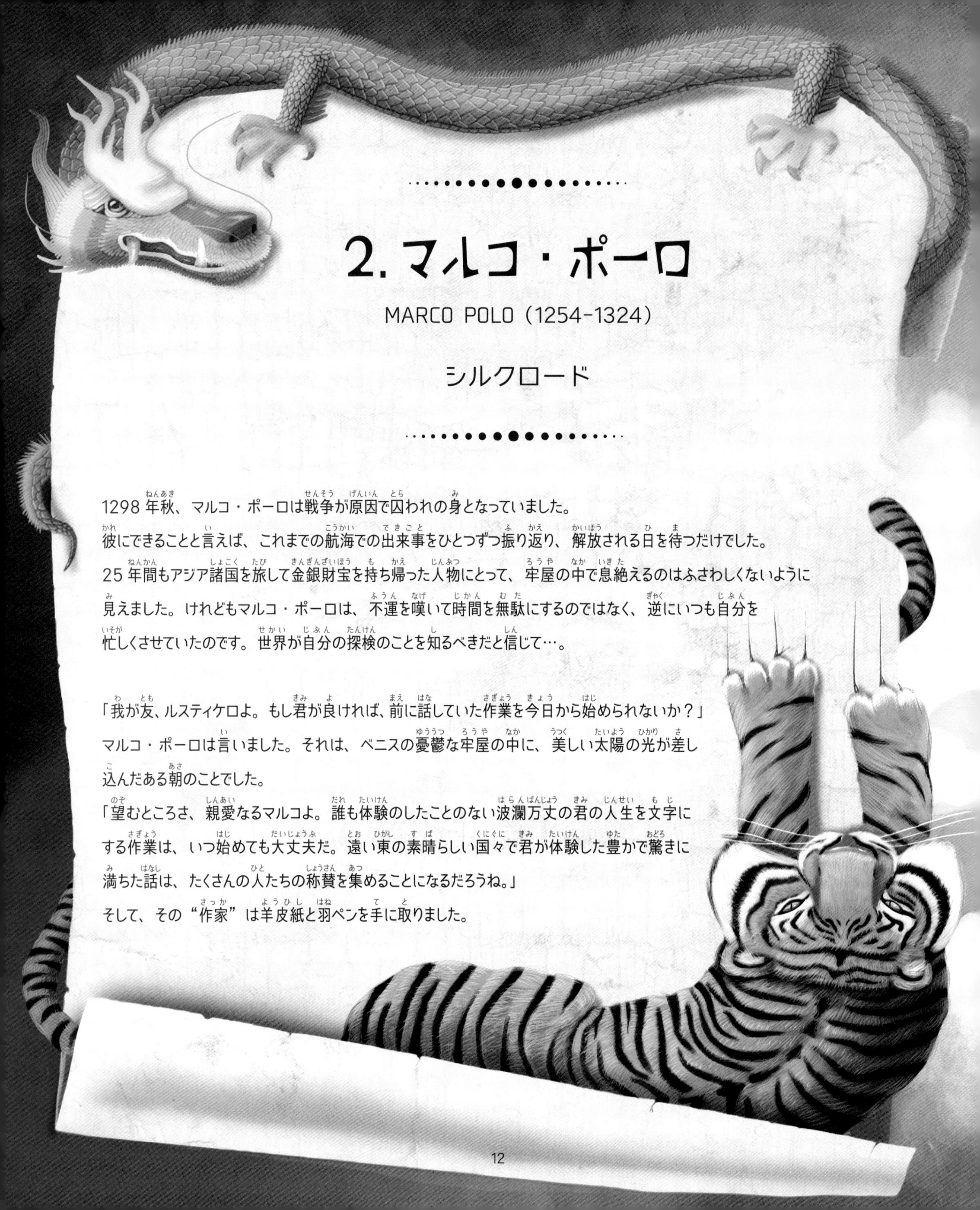

2. マルコ・ポーロ

MARCO POLO（1254-1324）

シルクロード

1298 年秋、マルコ・ポーロは戦争が原因で囚われの身となっていました。
彼にできることと言えば、これまでの航海での出来事をひとつずつ振り返り、解放される日を待つだけでした。
25 年間もアジア諸国を旅して金銀財宝を持ち帰った人物にとって、牢屋の中で息絶えるのはふさわしくないように見えました。けれどもマルコ・ポーロは、不運を嘆いて時間を無駄にするのではなく、逆にいつも自分を忙しくさせていたのです。世界が自分の探検のことを知るべきだと信じて…。

「我が友、ルスティケロよ。もし君が良ければ、前に話していた作業を今日から始められないか？」
マルコ・ポーロは言いました。それは、ベニスの憂鬱な牢屋の中に、美しい太陽の光が差し込んだある朝のことでした。
「望むところさ、親愛なるマルコよ。誰も体験のしたことのない波瀾万丈の君の人生を文字にする作業は、いつ始めても大丈夫だ。遠い東の素晴らしい国々で君が体験した豊かで驚きに満ちた話は、たくさんの人たちの称賛を集めることになるだろうね。」
そして、その“作家”は羊皮紙と羽ペンを手に取りました。

「20年だよ、友よ！
20年以上もの年月をかけて、僕はベニスへ戻ってきたんだ！」
「異国情緒溢れる未開の土地で、宮殿や様々な文化を堪能してきた。
軟膏を使って奇妙な病も治した。何百万もの人が住む街を観光し、
何百万もの鳥たちが生息する土地の探検を楽しんだ。
危険な獣から自分の身を守り、盗賊や海賊の危険から逃れたこともある。
雪や氷山を越え、これまで未知だった国々を発見してきたんだ。」
「それなのに見てみろよ。今、僕は薄汚い牢屋で、自由を奪われて惨めに暮らしている。ベニスとジェノバの海でささいな争いがあったというだけで…。
僕には何の関係もないことなのに！」彼は不平をもらしました。
「心配するなよ、マルコ。今ここにある時間を有効に使おう。
やれることはすべてやるんだ。君は中国を往復した初めてのヨーロッパ人にはならなかった。けれど、アジア諸国をつぶさに探検したのは君が初めてだ。」

2. マルコ・ポーロ

「そして、まさに今、自分の旅の記録を残す最初の人物になろうとしている。この本は、たくさんの旅行家と探検家に知恵を授けるだろう。読者は君を通して、旅の経路や遠く離れた国々の秘密を学ぶのさ。」ルスティケロは澄まし顔で言いました。そして、「新大陸を探し出し貿易のための商品を求める人にとって、君はインスピレーションを与える存在になるだろう」と付け加えました。

こうして、有名な“東方見聞録”が執筆されることになったのです。

「僕がまだ生まれる前のことだ…」マルコ・ポーロは語り始めました。
「宝石商だった僕の父ニコーロと叔父のマッフェーオは、商取引のために遠い街コンスタンチノープルへ出発していった。それからしばらくして、彼らは旅から戻ってきた。ちょうど、僕が 6 歳くらいだったと思う。」
「彼らは再び、東方へ向かって出発したのだけれど、その時初めて中国へ行ったんだ。
そして、僕が 15 歳くらいになるまでベニスに戻って来なかった。
だけど、戻るや否や、またすぐに中国へ行く計画を立てたんだ。『今度は僕も連れていってね』ってお願いしたんだよ。コンスタンチノープル、黒海、モンゴル草原、アラル海…。
アジアの平原や砂漠を旅して、北京へ。遠い世界をこの目で見ることは、僕の夢だった。」
「それが、シルクロードへの道を辿った初めての旅になったんだね！」
ルスティケロは興奮気味に口を挟みました。

シルクロード

「この時の旅は、本当にたくさんの思い出があるよ。」マルコは、いくらか懐かしそうな表情で、うなずきながら言いました。
「異国情緒溢れる動物、宝石、美しい女性たち、舌の肥えた人に向けて考えられた食事…。」

「フビライ・ハーンの別荘がある中国北部モンゴルの都市、上都に辿り着いた日のことだ。
僕らは自分たちを売り込むために、壮麗な宮殿に出向いたんだ。僕の父は、ハーンに直接自己紹介をしたんだよ。」
「彼は中肉中背で、健康的な印象の男でね、60 歳くらいだったと思う。
高級な服に身を包み、見たこともない大きさの宝石で飾り立てていたよ。」
「そして父は、僕のことも紹介したんだ。『あなたのしもべであり、私の息子マルコです』って。
そしたら、ハーンは『彼も歓迎されよう』って言ったんだ。
ハーンは有言実行の人物だった。僕は彼の相談役として迎え入れられたんだ。」

「上都は華麗な都市で、宮殿には想像を超える富が貯えられていた。
けれどそこは、ハーンの公邸ではなかったから僕らはすぐに
フビライ一族とその家来とともに、大都へ向かったんだ。」

「大都では、魔術を操る占星術師にも出会ったよ。
彼らは、皇室と一緒に公邸に住んでいて、重要な決定をする時に影響力を持つんだ。」

「実際のところ、ハーンのモンゴル帝国はあまりに大きくて、僕には彼らがどれくらいの勢力を持っているのかをはっきり理解することはできなかったよ。12 人の貴族に統治された 34 州、すべてがハーン１人の手におさめられていた。」
「彼の権力は“紙幣”と呼ばれる紙を使って管理され、それは大都にあるハーンの造幣局で特別に印刷されていた。この紙幣は、どこでも使うことができた。」

「お金が紙でできているんだぜ、信じられるかい？」マルコは、ルスティケロに笑いかけた。
「ヨーロッパ人は、これらの人々からたくさんのことを学ぶことができるよ。」
「この紙幣って、一体どんなものなんだい？」ルスティケロはたずねました。
「特別な種類の紙で作られていて、金貨のような価値を持っているんだ。」
「職人たちが丁寧に、木の幹と樹皮から通貨を印刷するためのとても薄い紙を作り上げるんだ。ヨーロッパで金貨を使うのと同じように、商品を購入する時に使うのさ」
とマルコは説明しました。

2. マルコ・ポーロ

「旅の後半は、中国のまた別の地域にあるシルクロードを歩いたよ。
宝石や高価な素材、毛や麻などの布地、琥珀、象牙、漆、香辛料、
ガラス、製造品、サンゴ…。道中僕らは、たくさんのものに出会った。」

「でも、シルクを軽く手で触れた時に感じる、驚きと素晴らしさ、高級感と
心地良い風合いを備えたものは他にはなかったね。」
「シルクはとても薄くて滑らかな布地で、服作りにおいて最も素晴らしい素材だ。
非常に精巧な染色方法でさらに磨きをかけることもできるんだ。この美しい布を
作る方法を熟知しているのは中国だけだと言える。そして、秘密の調合法を
誰にも知られないようにしっかりと守っているんだ…。」

マルコ・ポーロが遠い遠いアジアの旅で体験した驚きのすべてを、一語一句
ゆっくりとしたためたのは、実は狭くて暗い牢屋の中での出来事だったのです。

3. ロアール・アムンセン

ROALD AMUNDSEN (1872-1928)

南極探検

ノルウェーの都市、フレドリクスタの人里離れた農場では、これといってすることがありません。

そう、読書や物思いにふける以外に…。ロアール・アムンセンと海運業を営む大家族の一家は、そんな土地で暮らしていました。

「俺だったらジョン・フランクリン卿のように、北西航路の開拓を目前にして死んだりはしないさ。」

アムンセンは、耳を傾けてくれる人になら誰でも、こう言っていました。

若い頃から、極地探検に自分の人生を捧げる決心をしていたのです。

「お金を出してくれる後援者を見つける必要があるだろうね。」ある時、話しかけた人からこんな答えが返ってきました。

青年の夢も、年月が経てば実現できるだろうと確信したのでしょう。

「政府に資金援助を募ってみるのも手だろうね。」また別の人が提案しました。

アムンセンは、周りのアドバイスに耳を傾け、自分の目標に対する姿勢を少しも変えませんでした。

8 歳の頃から、寒さに慣れるように大きく開け放った窓ぎわで眠ったり、

テントでの生活を体験するために、床の上で眠ったりもしました。

色々と考えた末、彼は一つの決心をしました。

「ノルウェー政府と話をしてみるよ。

僕の探検に資金を提供してくれるかもしれない。

それと、後援者探しもしてみようと思う。

ノルウェーの旗が北極にはためく日も夢じゃないぞ！」

3. ロアール・アムンセン

そうして、資金を確保したアムンセンは、“ヨーア号”という全長 21m、45 トンの漁船を購入しました。

「この船は、今回のような大掛かりな北極体験をするには少し小さいかもしれない。」

この航海に同行する探検家たちは言いました。

「心配ないよ！自然が僕らの見方をしてくれるさ。」アムンセンは自信いっぱいに答えました。

「僕らはたった 7 人だから、航海中の食糧は猟や魚釣りでなんとかなるだろう。」

けれども、出発の直前になって、アムンセンは最悪のニュースを受け取りました。

「北極を征服した！」北米のライバルであるフレデリック・クックとロバート・ピアリーが、北極到達を祝ったというものです。

けれども、こんな知らせを聞いても、アムンセンは諦めませんでした。

「この探検計画を無駄にしないためにも、素早く行動しなくては…。

このニュースが世界を駆け回ったのと同じスピードで、僕らは当初の計画を変更しよう。今すぐ南極へと出発しよう。」

「政府や後援者には何て説明する気だい？」兄弟のレオンと副司令官のソルヴァルド・ニールセンが聞きました。

「これは、ここだけの話だ」とアムンセンは神妙な顔で言いました。

「僕らの他には、秘密にしておく。」

南極探検

「デンマーク政府が探検のために提供してくれた犬を連れて、コペンハーゲンに帰還した時、
既に僕は南極へ行こうと決心していたんだ。でも、秘かに実行するんだ。競争相手が、
二度と僕らを追い越さないようにね。」
船の本当の目的地を知っている人は、ほぼ誰もいませんでした。
1910年6月の出発の際、ほとんどの乗組員たちは北極へ行くのだと信じていました。
それほどまで周到に、アムンセンたちは計画を隠していたのです。

偶然にも、同時期にイギリス人探検家のロバート・スコットも南極探検の準備をしていました。
この計画に気付いたアムンセンは、スコットに向けて、自分が先に目標に到達するという
内容の電報を打ちました。
『失礼と分かっていながら、君にお知らせしたい。
ヨーア号は現在、南極へと向かっています。』

けれど、南極点までの困難は
計り知れないものでした。

3. ロアール・アムンセン

厳しい航海、マイナス 51℃にまで下がる気温の中、不安と疑念に襲われる瞬間がたくさんありました。

アムンセンは、このミッションを達成するため、犬に判断を委ねることにしました。
「友よ！」アムンセンは、160 頭もの犬に向かって叫びました。
「君たちは、僕たちを南極まで連れて行ってくれる予定だったが、2 つのグループに分けようと思う！」
言葉の意味も分からず、犬はただアムンセンを見つめていました。
「エータ、君が先頭を行くんだ」とメスのサモエド犬に話しかけました。
「僕らは、ビアランド、ハンセン、ハッセル、ウィスティングと一緒に旅を続ける。
そして、残りのメンバーは、キングエドワード 7 世半島を探検するんだ。」

アムンセンは、難しい環境や厳しい境遇も、まったく問題なく受け入れることができたようでした。
彼は何ヶ月もの間、犬やハトの世話をしながら、先住民であるイヌイット族と同じ生活をしました。
探検を通して、先住民の文化や生活様式を高く評価していました。
そして、それがあったからこそ、厳しい天候も耐えることができたと言えます。

探検は成功しました。
1911 年 12 月 14 日、午後 3 時、アムンセンとその隊員は、南極点に到達したのです。

「とてつもない喜びに包まれている」と彼は録音しています。
「人生唯一の目標が、ここまで正反対に転がってしまった人に、今まで会ったことはありません。
僕は、子どもの時から北極点に立つことをずっと夢見てきました。そして今、南極点に立っています。
こんなに矛盾する話を誰が想像できたでしょうか？」

それから 34 日後に、イギリス人探検家のロバート・スコットと
4 人の探検家が南極点に到着しました。
彼らは、アムンセンが残したテントの中で、手紙を見つけました。

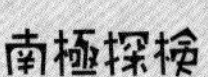

『親愛なる、スコット司令官さま

あなたたちが僕らの後にこの地へ到着する初めての人になることを想定して、ここにお願いがあります。ノルウェーのホーコン７世にこの手紙を渡して頂けないでしょうか？もし、僕らがここに残した設備に使えるものがあるなら、どうぞ遠慮せずに持ち帰ってください。無事帰還できることを心より祈っています。　ロアール・アムンセン』

「最悪のことが起きてしまった！」とスコットは嘆きました。
「私たちの夢は閉ざされた。ああ、神よ。この場所には、もう価値がない！」
彼は隊員の元へ戻って、ことの次第を打ち明けました。

アムンセンは無事に帰還したものの、スコットはベースキャンプへ戻る途中で命を落としてしまいました。１人は成功し、もう１人は失敗して終りました。けれども、この男たちは、ともに英雄として讃えられました。
探検をしたいという熱い想いに突き動かされた、人間の競争心。それが垣間見える最も劇的な出来事の１つが、こうして幕を閉じました。

4. クリストファー・コロンブス

CHRISTOPHER COLUMBUS（1451頃 -1506）

新大陸

ある晩、クリストファー・コロンブスは、テーブル越しにスペインの貴族たちと話をしていました。
その中に酒に酔って調子に乗った者が言いました。
「コロンブス様、仮にあなたがインディアンを見つけることができなかったとしても、我々はあなたがしたような冒険に乗り出す別の人物を見つけ、そしてその人物がインディアンを発見したことでしょう。
スペインには偉大な人材がたくさんおります。その中の１人が、遅かれ早かれこの目標を達成したでしょう。」

驚きのあまり、その場は静まり返りました。それまで、コロンブスの偉業に対して疑問を投げかけようとした者は１人もいなかったからです。コロンブスは何も言わず、じっとその貴族を見つめました。

4. クリストファー・コロンブス

そして、卵を持ってくるように言うと、テーブルの上に置いてこう続けました。

「この卵を何の支えもなく、立たせることができますか。」

同席した貴族たちは、不思議そうにコロンブスの顔を見つめました。

1人ずつ試し始めましたが、結果、誰1人成功しませんでした。

貴族たちの間を卵が一周すると、コロンブスは卵を優しくテーブルに打ち付けて立たせました。

みな、すぐさま理解しました。コロンブスは自分の意図を説明し始めました。

「紳士のみなさま、どうやれば良いかの見た後なら、それを実行するのは誰にだって可能なのですよ」

と締めくくると、ワインを持ってくるよう言いました。

新大陸

コロンブスは誰もが決して忘れることのない偉業を成し遂げました。

そう、アメリカ大陸の発見です。

このとてつもない距離の航海を計画した時、コロンブスは資金援助を受けることにとても苦労しました。
「丸いのです、地球は丸いのです！」
コロンブスは繰り返し、何度も主張しました。
「しかし、それは重要ではありません。新しい西廻りの貿易ルートでインドを目指すのです。」
「そして、私たちは新しい国、香辛料、宝石を発見するのです！」
「あなたは気の狂った冒険家だ。」貴族たちは声を揃えて言いました。
貴族たちには、コロンブスの主張が間違っていると証明する術はありませんでしたが、
もし彼の主張が間違っていた場合に、自分たちが失うお金のことを心配していたのです。
ただ１つ確かなことは、この計画が身を結ぶには長い年月が必要になるということだけでした。

「私は、天文学、幾何学、代数学を学びました。航海計算や地図製作、地理学のすべてを理解しています。間違っている訳がないのです！」コロンブスは、強く主張しました。

4. クリストファー・コロンブス

イタリア、ポルトガル、スペインのあらゆる土地を訪れ、自分のアイデアをしつこく売り込んでいきました。

しかし、まったく上手くいきません。「まだ、フランスを試せるかもしれないぞ」と彼は諦めませんでした。

運命の定めか、コロンブスはラビダ修道院の 2 人の修道士の取り計らいにより、スペインのイザベル王女と面会し、

自分の計画を披露するチャンスを得たのです。

「私は新しい貿易ルートと未開の土地を発見できると確信しております。

王室にとって、これはまたとない良い機会になるでしょう。」コロンブスは主張しました。

「金と宝石を持って、必ずや帰還いたします。」

「あなたが正しいと神がお認めくださることを祈りましょう！この機会を逃すことはできません。

ムスリムとの戦いで失った金を取り戻しましょう。そして、道中で異教徒たちを改宗させるのです。」

そうしてすぐ、コロンブスが必要とするすべてを提供するという命令が下されました。

それからロープ、帆、錨の準備や、乗組員たちの割り当てを確認することに追われました。

出発前夜には、興奮のためコロンブスはほとんど眠ることができませんでした。

そしてついに、1492 年 8 月 3 日、ピンタ号、ニーニャ号、サンタ・マリア号の 3 隻がスペイン

カディスのパロス港を出発しました。

「インディアンが待っているぞ！」コロンブスは熱狂的に叫びました。

しかし、出発してから何週間経って、大陸と取り囲む島々から遠く離れても、目の前に見えるのは水平線以外何もありません。

「コロンブス様、乗組員たちが今にも暴動を起こしそうです。彼らはこれ以上、この航海に耐えられそうにありません」と

ニーニャ号の船長を務めていたピンソンが言いました。

「間もなく到着するはずだ。」コロンブスはこう繰り返すばかりでした。

けれども、乗組員たちは落ち着きません。

陸へと戻りたいという思いが最高潮に達し、3 隻すべての船上で暴動未遂が起こりました。

コロンブスは正気ではないと非難する者までいたほどです。

売上カード
◉部数 冊
ARと読む 世界の冒険家
ISBN978-4-7738-8163-9 C0070 ¥2800E
定価 本体2,800円 (税別)
現代企画室
東京都渋谷区桜丘町15-8
高木ビル204 〒150-0031
電話：03-3461-5082
ファクス：03-3461-5083
注文カード
◉貴店名
◉部数 冊
ARと読む 世界の冒険家
9784773881639
ISBN978-4-7738-8163-9
C0070 ¥2800E
定価 本体2,800円 (税別)
発行所 現代企画室

4. クリストファー・コロンブス

ある日、「おーい、陸が見えるぞ！」と見張りをしていた乗組員が、マストの最上部から叫びました。
そうすると、水平線に鳥の姿が見えました。これは、陸地が近くにあるという紛れもない印でした。

そうして一行は、コロンブスがサン・サルバドル島と名付けた、西インド諸島バハマにあるグアナハニ島に上陸しました。

好奇心旺盛の島の先住民たちは、海岸からコロンブスたちを見つめていました。
コロンブスたちは、上陸した島はマルコポーロの“東方見聞録”に出てくるインドや中国、日本などのアジア周辺の島であると確信し、彼らをオリエンタル・インディアンと呼んでいました。

新大陸

「スペインとキャセイ（中国）の間に航路を開きました！」

コロンブスは、バルセロナに戻ると王様たちに報告しました。

そして、この冒険に満足したコロンブスは獲得した懸賞金を見せびらかし、

遭遇した原住民や、島に残してきた乗組員 40 人のことなどを語りました。

コロンブスが“インド”と信じていた土地は、実際には“アメリカ”であることには気付いていませんでした。

5. ジャック＝イヴ・クストー

JACQUES COUSTEAU（1910-1997）

深海のミステリー

川へと繋がるインド洋の穏やかな水流。

有名な海賊や孤独な船乗りたちが座礁した珊瑚礁の近くで、船長のジャック＝イヴ・クストーは、カリプソ号の錨を下ろしました。海洋学者であるクストーは 1949 年にアメリカの掃海挺（水中爆弾などの排除を任務とする軍艦）を海洋調査船カリプソ号に改良し、それを“我が家”として生活をしていました。

「人間とは時に…」休憩時間、クストーは息子ジャン・ミッシェルに語りかけます。

「自然の資源に対する今の行いや扱い方が、海や魚、川が存在できない未来へと私たちを追いつめているということに気付いていないのだよ。」

「父さん？」

「私も気付くまで、長いことかかったよ。」

赤いニット帽の先に手を当てながら、クストーは言いました。この帽子は、数々の海洋ドキュメンタリー番組で彼が身につけていたもので、テレビを見ていた世界中の視聴者に彼のトレードマークとして親しまれていました。

「私はとても若い時から海と戦ってきたんだ。知っているだろう？海に潜るたびに、何か新しい発見があると分かっていたんだよ。でも、多くの人たちにとって、海はただ眺めるものなのさ。」

「でも、最終的にはみんなも気付くんでしょ？」と息子が問いかけます。

「ああ、お前の言う通りだ。始まりがどんなだったかを思い出してみると、1930 年代に海を探検しようという決断だった。それが私の人生を完全に変えてしまうなんて当時は思ってもみなかったよ。でも、海にいるだけで自分がとても幸せな気分になるということは分かっていたんだ…。」

5. ジャック=イヴ・クストー

クストーは目を閉じて、自分の若い頃を思い浮かべました。
人間が魚と同じように自由に潜水できる装置を発明した時の幸せな自分の姿を…。

「とにかく、人間を海に一歩近づけたということは間違いないよ、父さん。」
「私もそう信じているよ。でもね…」クストーは、ため息まじりに言いました。
「おまえの子どもたちの世代、そしてさらにその子どもたちが、今私たちが目にしているのと同じ海を見れると思うかい？
彼らは海を愛することができるだろうか？」
「少なくとも今、僕たちには海洋生物に近づける潜水用具がある。
不運な境遇にいる生物を絶滅の危機から救うことを、今まで以上に簡単にしてくれる装置がね。」
「スキューバダイビングのスーツだね。」
「そうだよ。スキューバスーツが誕生する前は、ダイバーたちの動きは制約されていて、
海底を調査することは簡単ではなかった訳でしょう？
今は、あらゆることが進歩した。」

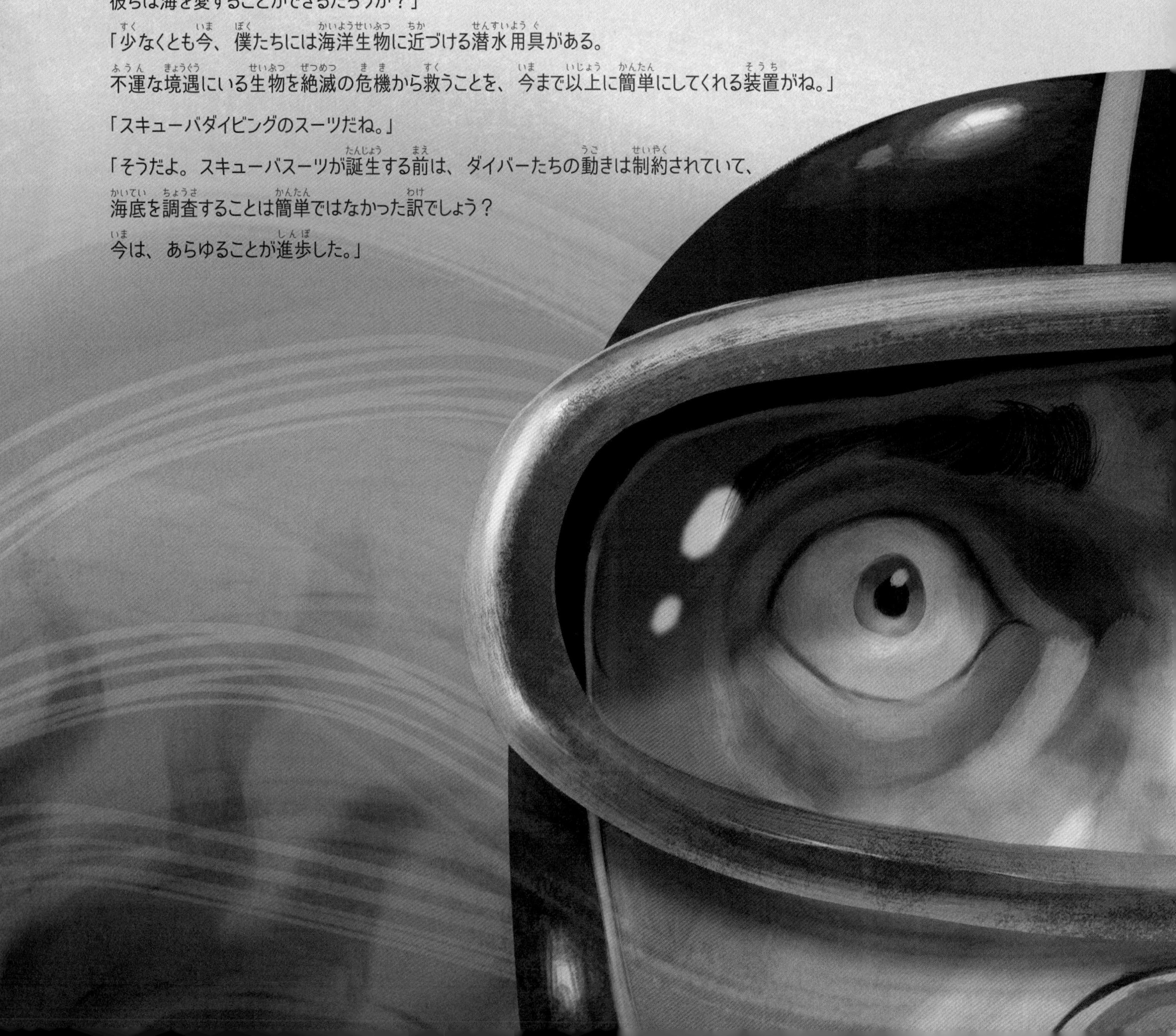

「そうだ。今までより深い場所へと潜れるようになっただけでなく、今までよりも長い時間水中で過ごせるようになったんだ。
当時、仲間に話をしたけれど彼らは不思議そうに私を見つめるだけだったよ。」

「そんなことを試すのは辞めた方が良い」とクストーの仲間たちは言いました。
「僕らは魚のようにはなれないよ。魚が潜るような深さに人間が辿り着くことなんて、決してできないよ。」
けれどもクストーは、何度も繰り返し主張しました。
「水生生物の肺を改造してみれば良いだけのはずだ。」
そして、数多くの実験と改良を繰り返した後、ついに実際にテストする準備が整いました。
「海は危険で近寄り難い場所ではない。
私たち人類の拠点にもなるだろう。」

5. ジャック＝イヴ・クストー

「気をつけろよ！」

クストーが自分の発明品を装着して初潜水の準備していると、同僚たちが声を掛けました。

「10 メートル！まだ沈み続けている…」とクストーは、暗くて寂しい水の中で考えました。

「30 メートル！ 30 メートルに到達した！これからは、もう恐れることなく海に挑んでいける。」

水面まで上昇してくると、クストーは仲間にこう話しました。

その日以来、クストーの背中には呼吸装置“アクアラング”が取り付けられるようになりました。

彼は完全な自由を手にしたのです。海底の秘密を探りたいという欲求のままに、海に潜ることができるのです。

けれども、クストーはこれだけでは満足できませんでした。

今度は正確な研究を行えるよう、そして海を開拓しようとする人間から海洋生物を守るために、海底を保護する必要があると感じるようになりました。

「環境だ。一番大切なことは環境を守ることだ。環境こそが、生命がこの地球で繁栄していくために必要なんだ。保護に失敗したら間違いなく、みな死に絶えるだろう。想像を超える大災害が引き起こされる。」

けれども、誰もクストーの言葉に耳を傾けませんでした。誰も、彼の言うことを信じなかったのです。何かに取り憑かれた人騒がせな男としか思われませんでした。

「仲間は私のことを理解してくれなかった。」

「まるで頭がおかしくなったとでも言うように、私を環境保護主義者と決めつけたんだ。でも、主張をし続けたよ。『私は、動物保護を主張する環境保護主義者ではない。私は、人間を守ることを主張する環境保護主義者だ』とね。20 年以上もの間、海面上の油膜について訴えてきたけれど、私に注意を払ってくれる人はいなかった。唯一、観光業への影響を心配する人たちが興味を示しただけだったよ。」

「でも少なくとも、父さんはあることに成功したじゃないか。」

ジャン・ミッシェルは、励ましの言葉をかけました。

「南極を未開の地として保ち、科学研究のために保護する。あそこの油膜はとても大変な状態だ。あの氷の国の油膜を生んだ原因は、観光客を乗せた船に他ならない。そして、実際に現場を見て、最悪の心配事が現実になったと思った。人間が変わろうとしないなら、私たち人間は地球から姿を消し、昆虫たちが居座る日が来るだろう。」

「いつの日か、きっと父さんが本当のことを話していると気付いてくれるよ。」

初老の男は若者の率直な心に感動ながら、息子を笑顔で見つめました。

「ジャン・ミッシェルよ。どうやら人間というのは自分が大切にする目先のものだけを守り、私たちが住まわせてもらっているこの地球を優先すべきものとは考えられないようだよ。」

「もしかしたら、それは正しいかもしれない…」と息子は言いました。

「でも、父さんが僕に話してくれたじゃないか。

『最も不可能に感じるミッションは、唯一成功するミッション』だってね。」

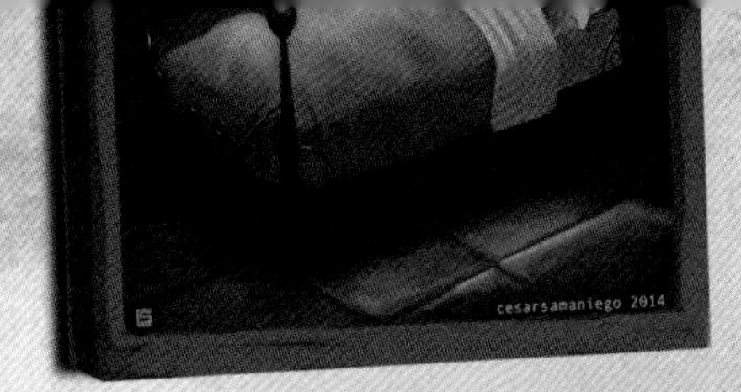

6. デイヴィッド・リヴィングストン

DAVID LIVINGSTONE（1813-1873）

暗黒大陸

イギリスのウェールズで生まれ、スペインのマドリッドでその人生の幕を閉じたアメリカのジャーナリスト、モートン・スタンリーは、
その日“ニューヨーク・ヘラルド紙”からの緊急電報で、叩き起こされることになるとは思ってもみませんでした。
『パリへ帰還すべし。緊急。重要な任務あり。遅刻厳禁』

それから２時間後には、荷物はスーツケースに詰められ、旅の支度がすべて整えられていました。
そして、スタンリーは、パリに到着するや否や、すぐに編集者のところへ向かいました。
一体何が起きているのか知りたくてしようがなかったのです。
「友よ、君に重要な任務を託してもよいだろうか。
リヴィングストンは今どこにいると思う？彼は本当に死んでしまったのだろうか？」
スタンリーは驚きました。彼は、デヴィッド・リヴィングストンのことをあまり知りませんでした。
知っていることと言えば、1841年に宣教師として初めてアフリカを旅した有名な探検家で、
後に再び探検をするため大陸に戻ったということ、アフリカで遭遇した素晴らしい滝に
イギリス女王に敬意を表して“ヴィクトリアの滝”と名付けたことくらいで、
それ以上の詳しいことは知りませんでした。

6. デイヴィッド・リヴィングストン

「もう５年以上だ…。今や、彼の話はまったく耳にしなくなった。リヴィングストンが行方不明になったという話は、最大のミステリーだ。彼が死んでしまったという噂も流れ始めた。だが、誰も彼の遺体を見つけた者はいないんだ。」

「何とも言えないですね…。彼が死んだという可能性はまったくないとは言い切れないでしょうし。」

スタンリーは、会話の先に何があるのか考えながら答えました。

「私は、彼はまだ生きていて、君なら彼を探し出すことができると感じているんだ。」編集者は言いました。

「彼を捜し出して欲しい。不屈の精神を持ったこの探検家について、できる限りの情報を集めて、彼を私の元へ連れ戻して欲しいのだ。リヴィングストンのストーリーで、世界を驚かせたいんだ。どうか手伝ってくれないか。」

「中央アフリカへ向かって欲しいということですか？」スタンリーは、信じられないという顔つきで聞きました。

「そうだ。今すぐ向かって欲しい。一秒たりとも無駄にしてはならないからな。探検に出発してくれ。必要なものはすべて私が調達する！お金のことは心配しなくていいから、リヴィングストンを探し出して欲しい。彼に関するあらゆる情報が知りたいんだ！」

スタンリーはこの挑戦を受け入れました。そして再び急いで自分の荷物を詰めました。

しかし、この挑戦は簡単ではありませんでした。複雑なルートを何日間も旅しなければいけませんでしたし、道中に出くわした先住民たちは、必ずしも歓迎してはくれなかったからです。

「神は私に試練を与えたのだ。」スタンリーは自分の日記に記しました。
「何度、この大陸に鉄道があれば…と願ったことか。または、少なくとも馬さえいれば…。」

しかし彼は、決して負けませんでした。体力を消耗し、空腹に苦しみ、埃と汗にまみれていましたが、前進していきました。スタンリーは知りませんでしたが、リヴィングストンがいるとされていたウジジの村まで、あと１週間この旅に耐えなければなりませんでした。
実際のところ、あまりに苦しい日々が続いたので、もう少しのところで捜索を辞めようとしたほどです。

6. デイヴィッド・リヴィングストン

ある朝、スタンリーはついにタンザニアのタンガニーカ湖の岸辺にある村に到着しました。

リヴィングストンのアフリカ人アシスタント、スージーが叫びながら小屋から走り出してきました。

「イギリス人！？」

スタンリーは、自分を取り囲む原住民たちを押しのけて小屋へと向かいました。

そこには背中にやりで突かれたような傷がある、骨と皮だけのようにやせ細って衰弱した男がいました。

その男は、とても弱り、重い病にかかっているようでした。

血の気がなく、赤痢と高熱、深刻な栄養失調、酷い足の痛みに苦しんでいました。

けれど、スタンリーはその男の顔を見て、確信しました。

「リヴィングストン博士でいらっしゃいますか？」彼は尋ねました。

「はい、そうです。私のことです」とリヴィングストンは満面の笑みを浮かべながら答えると、
頭を斜めに傾げて会釈しながら手を伸ばしました。

そして、2人は握手をしました。

リヴィングストンは、やはり生きていたのです！

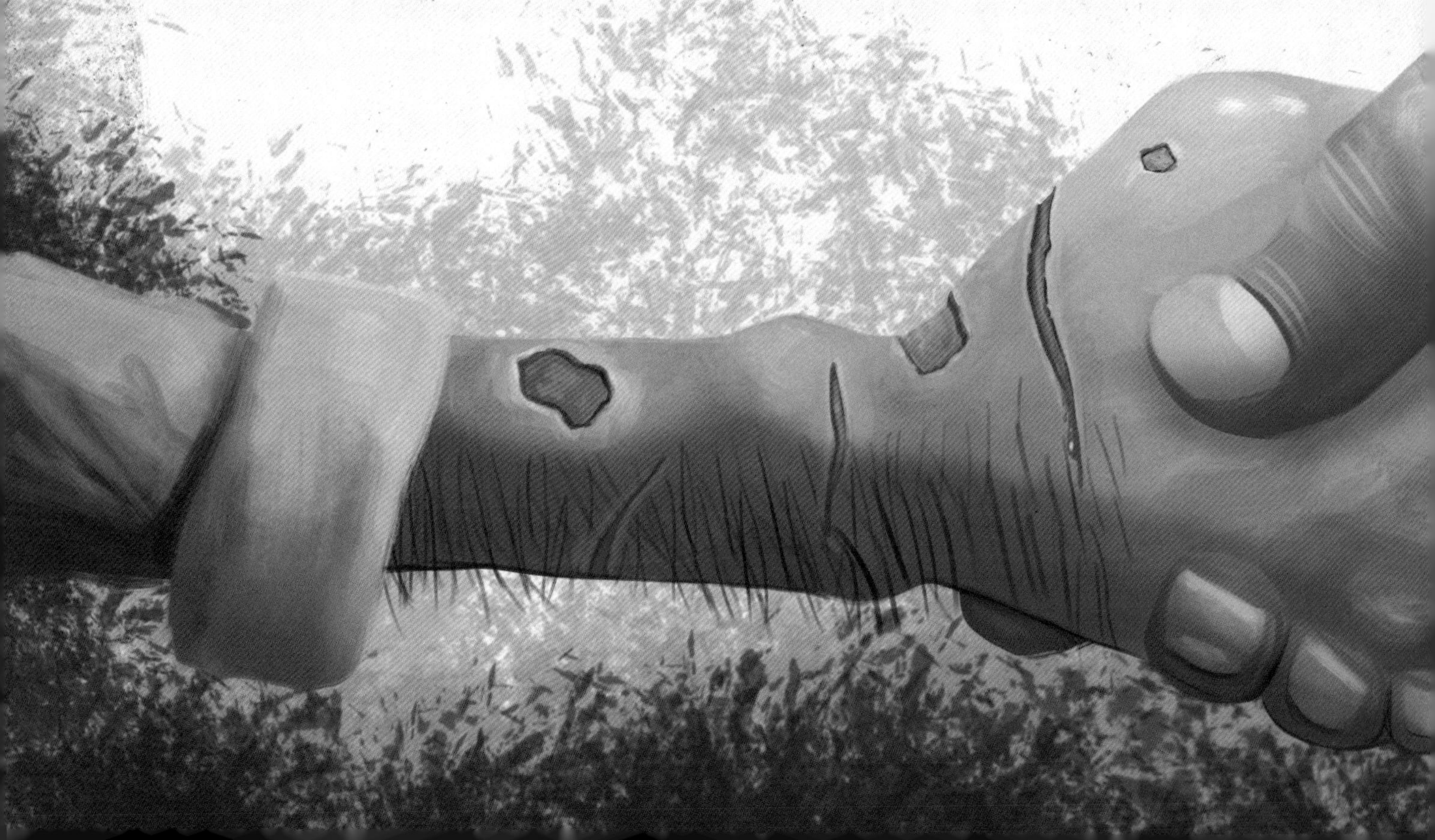

スタンリーは、リヴィングストンと５ヶ月間を過ごし、イギリスへ戻るよう説得を試みました。けれども無駄でした。

リヴィングストンは、スタンリーの説得に対していつもこう答えました。

「スタンリーさん。私は、あなたが来るまでに聖書を４回読みました。

神から授かったこの書は、すべてがイエス・キリストの恩恵を受けていることを明らかに示してくれました。」

「ああ、スタンリーさん。この土地のどこかに、力の源が存在するのです！私はこの旅を続けなければなりません。

ここで諦める訳にはいかないのです。この病から回復次第、ナイル川の源流を探す旅を再開するつもりです。」

最終的に、彼らは一緒にタンガニーカ湖の北部を探検に行こうと決めました。

スタンリーの助けがあったお陰で、リヴィングストンは、カゼンベ川がザンベジ川の一部ではないと確認することができました。

その時まで、２つの川は合流していると信じられていたのです。また彼らは、カゼンベ川がナイル川の支流であるという

（実際には間違った）結論にも至りました。

「帰国しなければなりません。」スタンリーは言いました。「そして、あなたも私と一緒に。」

6. デイヴィッド・リヴィングストン

「まだ解決できていない大きな謎が残っています。私がこの美しい大陸に来て以来ずっと考えている、
そして、ヨーロッパ人を 2000 年以上も悩ませている問題。『ナイルの源流はどこなのか』という謎です。」

そして、数日後、彼らは互いに別れを言いました。2 人とも、再会する日が来るのか分からないままに…。

スタンリーが帰国後、ほどなくしてイギリスにある知らせが届きました。
イギリスが尊敬する同志 リヴィングストンが赤痢で亡くなったという知らせでした。
イギリスは、リヴィングストンに心からの追悼の意を表し、ウェストミンスター寺院に葬るため遺体を返すよう要求しました。
しかし、チタンポのアフリカ人たちは、それを拒否しました（少なくとも完全には従いませんでした）。
彼らは、リヴィングストンの心臓を取り除くと、彼がとても愛した木の下に埋めました。その後、防腐処理を施した遺体を、
次のようなメモを付けてイギリスに送りました。

『彼の遺体を送ります。けれど、彼の心はアフリカのものです。』

7. フランシス・ドレーク

FRANCIS DRAKE（1543-1596）

カリブ海を征した海賊

その日は、フランシス・ドレークに追い風が吹いていました。
王室海軍中佐ドレークは、彼の船「ゴールデン・ハインド号」が滑らかに前進し続けるのが嬉しくてたまりませんでした。
自然までが次の戦いで勝利をおさめようとするドレークの味方をしているかのようでした。

「スペイン軍との戦なんて朝飯前だ！スペイン軍に勝利したら、次はカリブ海全域の前線すべてを攻撃するぞ！」
彼は、右腕となって自分に仕えてくれている従兄弟のジョン・ホーキンスに言いました。
船長、探検家、奴隷商人、政治家、さらには海賊。ドレークには様々な呼び名がありました。
スペインの利益を阻止し続けていたイギリス人のドレークは、海軍任務において常に司令官の第一候補でした。

ホーキンスは船員たちに言いました。
「注意を怠ってはいけません。スペイン軍の船がこの海のどこかに潜んでいるかもしれないのですから。」
「はい、了解です！王妃がこれまで想像だにしなかった戦利品を勝ち取り、香辛料、金、宝石を山のように積んで本国イギリスへ帰還しましょう。世界中が、フランシス・ドレークの名を知ることになるでしょう！」

7. フランシス・ドレーク

「だが、注意を怠ってはいけません！」

「私は、世界の７つの海が恐れるほどの存在だ。聞こえているか？私は既に世界を一周したんだぞ。スペイン人でさえも、私のことを“ドラゴン”と呼ぶくらいだ。だが、まあ、臆病者のために慎重に用心しようじゃないか」とドレークは“世界を一周した初めての男”という言葉をコートの袖に書き加えた日のことを思い出しながら、満足げに言いました。

「自分の部下のこと、そして我々を待ってくださっている王妃のことを考えるのです。

生きて帰還し、エリザベス王妃からナイトの称号を授かる日のことを想像してください。」

従兄弟の向こう見ずで計画性のない性格を配慮して、ホーキンスが言いました。

ドレークの気質が原因で、２人は命を落としかねなかったばかりか、海に沈んでしまった船も１隻ではありませんでした。

「生きて帰るだけでなく、勝利して帰るんだよ。

言うまでのことでもないが、この戦いを生き延びれば、イギリスで最も豊かになれるんだ。」

ドレークは、笑みを浮かべながら自信いっぱいに言いました。

ほんの 13 年前、船員として雇われて商船に初めて乗り組んだ日のことを思い出していたのです。

彼を駆り立てたのは、冒険心に他なりませんでしたが、それは時が経つに連れて変わっていきました。

海は彼の体の一部になっていったのです。20 歳の頃、ドレークはスペイン ビスカヤの港で船員に任命されました。

それからすぐ、貿易の仕事をするようになり、セントジョージ島、ドミニカ、ケープ・ヴェルデ、ギニア、マルガリータなどの土地を訪れました。そしてついに、軍艦へ乗り込むことができたのです。

「彼らもかつては幸運に恵まれていたんだ。だが決してカルタヘナ・デ・インディアスの二の舞にはさせないぞ！」

7. フランシス・ドレーク

ドレークは、唯一の負け戦を思い出しながら言いました。

「あのスペイン人たちに勝利は渡さない！」

「だからこそ、今まで以上の慎重さが必要なのです。
フェリペ２世はあなたに多額の懸賞金をかけています。
簡単に逃れることはできません。」

ドレークはホーキンスを見つめました。

「あのスペイン人が、どうしてそこまで脅威なのだろう。もしかしたら、あのスペイン人たちは、本当に世界を征服できると信じているのか？
絶対そうはさせないのに…」と考えていました。
なぜならドレークは、勝って、そして生きて帰るつもりでいたのですから。

「さあ、ボーリングでもしようじゃないか！」

ドレークは大声で言いました。

ボーリングをしていると、見張り番が叫びました。

「スペインの船だ！スペインの船が見えるぞ！」

「持ち場につけ！」ホーキンスが怒鳴りました。

「ちょっと待ってくれ。」ホーキンスの腕を掴みながら、ドレークは静かに言いました。

「まず、このゲームを終りにしなくては。」

「気でも狂ったのか？スペインの無敵艦隊が遠方に見えているんですよ！
今まで戦った中で最も強力な艦隊が、徐々に近づいています！それなのに、このゲームを終わらせたい！？」

「奴らが無敵だって？カディスで 30 隻のスペイン艦隊をあっという間に破壊してしまったことを忘れたのか？
我々を打ち負かすことはできないさ。それに、あと少しで勝てるゲームの途中で、中断されるのは好きじゃないんでね。」

ボールを投げながら、ドレークは笑いました。

「ほらね？」

彼は、1投目ですべてのピンを倒すと、スペイン艦隊を確認するためにふらりと船尾へ歩いて行きました。

「懲りない奴らだ。奴らの船は、戦いには重すぎるし大きすぎる。スペイン人は貿易のことばかり考えているんだ。
アメリカへ向かい、商品をたくさん積んで帰還するんだ。戦に勝つことなんて考えていない。そう思わないか？」

7. フランシス・ドレーク

「しかし、武器の上では我々をしのいでいることを忘れないでください。」

「奴らの大砲は車輪の上に取り付けられているんだぜ！あれじゃあ、発砲するまでに 100 年かかる。
我々の武器は、準備しやすく、固定されていて軽量だ。それに、一瞬の内に準備して発砲することができる。」

「…まあ、一理ある。奴らの追撃砲は我々のものより優れている。だが、我々のスピードはそれを上回る！」

「船員たちよ！持ち場に着け！」ドレークは興奮気味に叫びました。

「狙いが定められるよう、敵に近づいてから発砲するんだぞ！」

「あとは…、思う存分打て！！」

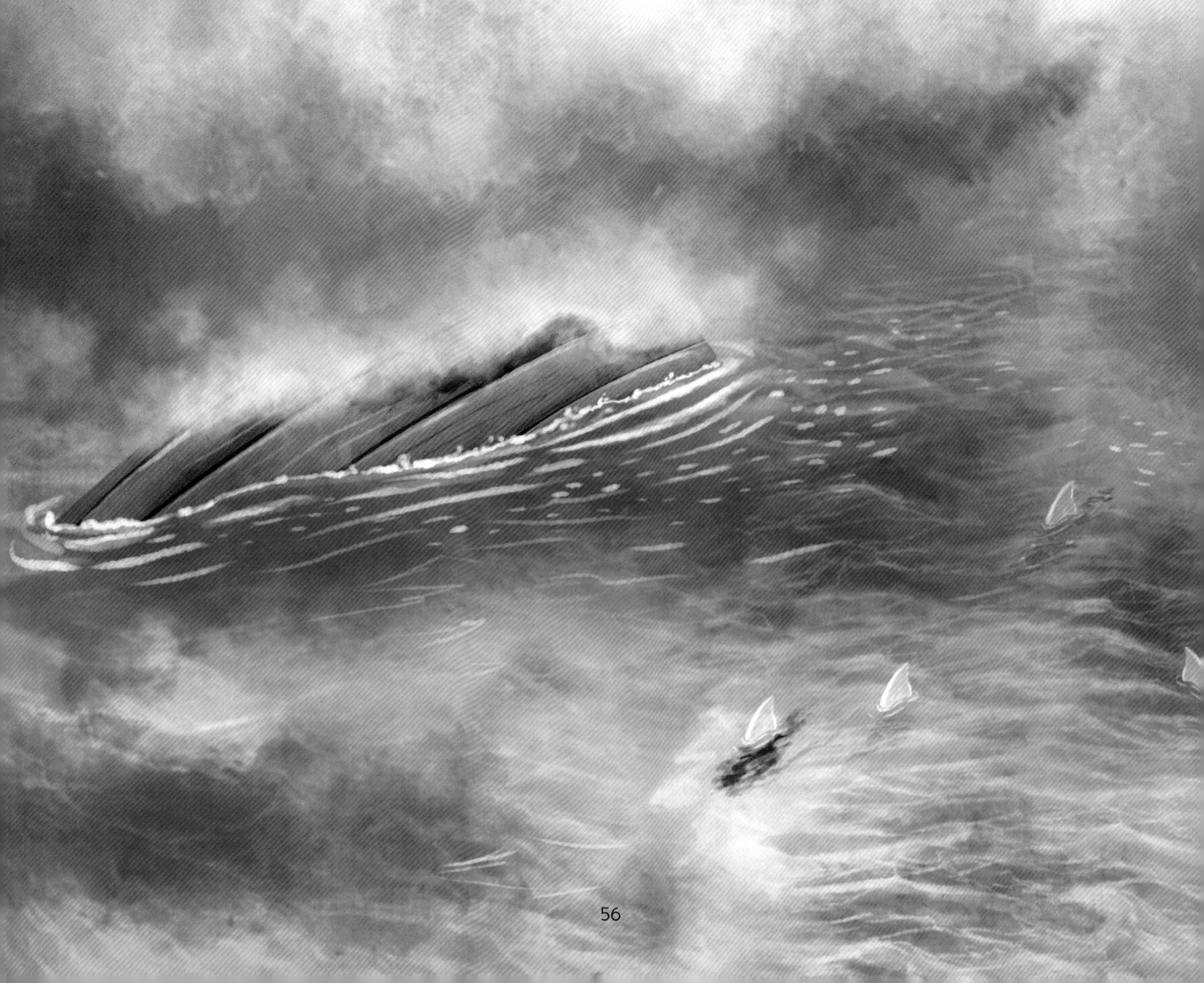

「敵隊が三日月形の態勢に移りました、見えますか？ 」

「撤退態勢をとるぞ。奴らから逃げているかのように見せるんだ。」ドレークは指示を出しました。

「奴らの警戒心が解けて、我々を追いかけ始めたら、旋回命令を出すんだ。

ジョン、前の戦いで奴らから盗んだ航海図を取ってくれ。奴らを撃退するヒントが見つかるはずだ。」

そうして、63隻のスペイン艦隊が撃退され、戦いが終わりました。

1588年6月、無敵艦隊はイギリスの手に落ちたのでした。

8. メアリー・キングズリー

MARY KINGSLEY（1862-1900）

アフリカ開拓者の挑戦

メアリー・キングズリーは、リバプール港の方を振り返りました。
イギリスを離れた時、彼女に別れを告げにきた人は誰もいませんでしたが、彼女はまったく気にしていませんでした。
自分が目標としていることを成し遂げようとしている今、彼女を引き止めるものは何もありませんでした。

「この旅…、この船に１人の独立した女性として乗船することが、私の子どもの時からの夢でした。」
彼女は、船長に打ち明けました。タラップを下りながら、メアリーは笑顔になりました。いつものように花柄の帽子をかぶり、パラソルを手にしています。彼女の荷物には、食事や宿代と交換するためのビーズやコットン、タバコなどの供給品と、魚や昆虫のサンプルを採取するための瓶などが入っていました。また、ビクトリアン様式のロングドレスの下に、兄からもらった厚手のズボンをこっそりと履いていました。

穏やかな太平洋を何週間も航海し、ついに今、陸地に辿り着いたのです。
アフリカのジャングルへの旅をスタートする準備は整いました。
「奥様、そのまま進んでください。荷物も陸に運び終える頃でしょう。」
残りの荷物をまとめると、彼女のガイドが言いました。

けれど、メアリーは一歩も動けませんでした。花の香り、活気溢れる市場の様子、目を惹き付ける女性たちの服の色に酔いしれていました。目の前の景色を一生の記憶にとどめておこうとタラップの出口で立ち尽くしてしまっていることにも、彼女本人は気がついていませんでした。

「これは夢ではないのね。さあ行きましょう、コンゴが私たちを待っているわ！」

メアリーは笑顔で答えました。

旅はそこからさらに、長く大変な道のりでしたが、数ヶ月に渡る探検の後、一行はナイジェリアに到着しました。

「ここなら、宗教上の儀式や様々な種族について自由に研究できるわ。」

「気をつけてください、奥様。この土地には、あなたを攻撃する危険な動物も多く潜んでいますので。」彼女のガイドが忠告しました。

恐れを知らずにジャングルの奥地にまで探検にきた女性を、彼は今まで一度も見たことがありませんでした。

けれど、この若い女性は出発前に家族がくれたアドバイスを思い出して、笑みを浮かべながら言いました。「未知の世界の発見を恐れる方が、時に危険ですわ。」

しかし数日たって、メアリーはガイドが言ったことが多少は正しかったと分かりました。危険な橋を渡らなければならかった時のことです。

「助けて！」

その橋を既に渡り終えていたガイドが振り返ると、メアリーを朝のおやつに頂こうと、巨大なワニが口を開けているところでした。

「奥様！」ガイドは遠くから叫びました。

しかし、ガイドが見る限り彼女は何の助けも必要としていませんでした。メアリーは素早くスカートをぐいと引き上げ、パラソルを手にワニと格闘し始めたのです。

深いジャングルの森でこんな“動物”と遭遇したことがないワニは、メアリーと同じくらい驚きました。

メアリーが２発目をお見舞いすると、
ワニは恐れのあまり引き返して水の中へと消えていきました。
「ごめんなさい。叫ぶつもりはなかったのよ」と彼女は笑顔で謝りました。
ガイドは、微笑みながら言いました。「素晴らしい。女性があんな風にワニを
追い返すことができたなんて、村人たちは誰も信じないでしょうね。」
「同じ状況になったら、あなたもそうするに決まっているわ。それに、ワニはトカゲがちょっと
大きくなったような生き物でしょう。ここでコーヒーを飲んで、少し休憩しても良いかしら？」
「似たようなことが私の祖父にも起きたのですが、私たちが彼を助けました。
その時、ワニから噛まれないようにする方法を教わったのです。」
好奇心がそそられたメアリーは、家族や種族のことについて詳しく説明するよう頼みました。
彼らは何時間も話をしました。

「親愛なる友よ…。」メアリーは、月明かりの中で飲む最後の紅茶を啜りながら、ガイドに語りかけました。

「白人の原始の姿が黒人ではないということをヨーロッパ人は学ぶべきだわ。同じ考え方で、ウサギだって、野ウサギの原始の形ではないでしょう。」

ガイドは嬉しそうに驚きました。そして、感謝の表情を浮かべながら微笑みました。

白人たちは、アフリカにはたくさんの悪人が溢れていると話していました。その一方で、白人たちはケーキを切り分けるかのように、アフリカ大陸を領土で分割してしまったのです。

「私の国は、あなた方から学ぶべきことがたくさんあります。」

そして、メアリーはこの若いガイドに別れを告げ、自分のテントへと戻りました。

彼女は眠りにつく前に、こんなことを思いました。

「またいつの日か戻って来るわ…。今晩が、この美しい国で過ごす最後の夜にはしない。」

9. アレクサンダー・フンボルト

ALEXANDER HUMBOLDT (1769-1859)

博物学者であり探検家

18 世紀末にパリの通りを散歩できたなら、近代都市に変わりつつあった当時の街の表情を見ることができたでしょう。
広い道、新しい建物…。中でも魅力的だったのは、自由を求めて世界中から人々が集まっていたことでした。

そして、アレクサンダー・フンボルトもその中の 1 人でした。
熱帯地方へ研究旅行に行くための資金調達をするには、この街は完璧でした。
そして、フンボルトが植物学者のボンプランと友達になったのも、ここパリでした。
「ヨーロッパの向こうには、まだまだ分類したり研究するべきことがたくさんあります」とフンボルトは言いました。
「ここで時間を無駄にすることはできません。」
彼らは一緒にアメリカ大陸へ向かうことにしました。
アメリカに向かう前に、パトロンを捜すためスペインのマドリッドへ寄りました。滞在は短かったものの、
彼らがスペインの首都で感じた科学的な空気はとてもインパクトがあり、とてもよい経験になりました。

こうして 2 人は、スペイン北西部ア・コルーニャの港からコルベット艦の
ピサロ号に乗って出発しました。
「これで僕らは、オリノコ川の不思議へと一歩近づいた。
持ち運べるだけの植物標本を採取するチャンスも目の前に迫っている。
何て素敵なことだろう！」
そうなのです。彼らが出発した目的はここにありました。

博物学者であり探検家

そして南アメリカを探検する道中で、グアイケリア族のカルロス・デル・ピノに出会うという機会に恵まれました。彼は水夫と同じくらい力強く元気な男でした。

デル・ピノはボンプランに「子どもの時から、故郷であるクロシェ島やヌエバ・アンダルシアの沿岸の向こうを航海すること夢見ていたんです！」と言いました。

頑丈な木の幹だけで作られた彼らのカヌーでは、この海の高波を超えることはできないからです。

デル・ピノはフンボルトにも「こんな大きな船の見張り台から、水平線を眺めるのが夢なんです！」と告白しました。そうして、デル・ピノは彼らの探検に参加することになりました。

深度計が浅瀬に着いたことを示すと、フンボルトとボンプランは、まずは上陸せずに小型の望遠鏡を使って観察しました。数時間後、そこから錨を上げると今のベネゼエラの都市、クマナーへ向かって西へ進みました。この時デル・ピノは、みんなと一緒ではありませんでした。なぜなら、スペインのコルベット艦の見張り台から、遠い水平線を眺めたいという彼の夢が、今まさに叶ったのですから。

「大自然も困難な状況も、植物、動物、石の新しい標本を集めようという私たちの行動を止めることはできない」とフンボルトは断言しました。

「親愛なる友よ、せっかく採取した標本をなくしてしまわないように、ここで時間をとって、これまで採取したものを項目別に整理しようじゃないか。」ボンプランは、フンボルトに提案しました。

「そうしよう。」フンボルトは答えました。

旅の間、デル・ピノは自分の国の話を聞かせてフンボルトとボンプランを楽しませました。彼らはデル・ピノの話を通して、沿岸から内陸に数キロメートル入った地には険しい山岳地帯があり、2種類のワニや大型のヘビ、ボアや、デンキウナギ、ジャガーなどが生息していることを知りました。これらの魅惑的な話は、フンボルトの好奇心を大いに刺激しました。彼は計画を変更し、このエリアを探索する準備を始めました。

9. アレクサンダー・フンボルト

フンボルトはデル・ピノの知識をとても信頼していたので、どこへ行くにも彼をアシスタントとして従えました。植物や動物の採取、火山、気候、地磁気の研究や分析、緯度や経度の測定、山の高度の計算…。
フンボルトは、あらゆる形となって地球に存在する「自然の力」を調査したのです。

数週間をかけて、彼らは自分たちの研究を終わらせました。
「予想していたよりもたくさんの標本を採取することができたぞ！ 6000 種類の乾燥した植物、600 種類の新種の生物や昆虫、貝殻に関する記述文、地理的な説明、植物や甲殻類の解剖図もたくさんある。」
ボンプランとフンボルトは、その難しさを聞いてはいたものの、自分たちだけで山岳地帯を横断して帰路に着こうと決心しました。地元の伝道者たちは川の激流を超えるための装備などを提供し、先住民たちも彼らが成功できるよう、あらゆるサポートをしてくれました。予想に反して、アメリカ大陸の人々はヨーロッパのことをとても良く知っていました。

博物学者であり探検家

ある時、フンボルトはポルトガル領土であったブラジルでスパイとして拘束されました。ポルトガルの司令官の元へ連れて行かれると、フンボルトは、カシキアレ運河がアマゾン川とオリノコ川に合流していることを証明しようとしているのだと説明しました。「それを調べるだけのために、はるばる来たのか？ここを訪れる伝道者の中には、この運河と２本の川が合流していると疑う者は、この 50 年間１人もいないぞ」と厳しく言い返しました。

「司令官さま、私の主な目的は、正確な天体観測を用いて地理学的な関係を図表化することです」とフンボルトは打ち明けました。最終的に、探検に最近加わったゼア牧師の名声と交渉のお陰で、フンボルトは解放され、リスボンへ送還されました。

しかし、知識と冒険に対するフンボルトの熱い欲望は、決して冷めることはありませんでした。彼は２度目の航海へ行くことを決心し、今のコロンビアを出発しアンデスを経由してエクアドル、ペルーへ向かい、そこからメキシコへ向かって北上しました。アメリカ大陸に到達したところで旅を終え、その地で“新世界の科学的解説者”というニックネームを授かりました。

10. イブン・バットゥータ

IBN BATTUTA（1304-1369）

アラビアの冒険

「私は、メッカへ巡礼の旅に出なければならないことを、子どもの時から分かっていた。
ムスリムならばそれは当然だし、私はメッカに到着するその日までの時間を過ごすことを楽しみにしていた。
でも、まあ、それが 25 年間に及ぶ旅になるなんて、まったく想像していなかったがね。」
今では年老いてしまった、イブン・バットゥータは、モロッコの故郷タンジェに戻ってから身の回りの世話をしてくれている少年の１人に話しました。

「もしかしたら、だからこそ私は１人で旅立ったのかもしれん。頼りにできる友情を培ったパートナーや、自分を思いとどまらせるようなキャラバンなどとも一緒ではなかった。」
「ご主人さまは、これまでどんなものを見てこられたのですか？これまで、一体どんなことを経験してきたのですか？」
少年の初々しい瞳は、大きく見開いていました。少年は、ほぼ無意識のうちに、バットゥータにお茶を運びました。
「ああ、すべてだね。私はすべてを見たよ。極東からアフリカの中心地まで、ムスリムの世界を縦横無尽に旅してきたよ。そして、私が通過した国々のもてなしの心にとても感謝しているよ。」
「でも…、本当ですか？すべてですか？」「あ…、そのつまり…。」
少年は、主人が怒り出すのではないかと心配し始めました。

10. イブン・バットゥータ

「私はアフリカの沿岸を旅した後、想像を絶するような長さを誇るナイル川に辿り着いた。シャム（今のシリアとパレスチナ）の国中も旅した。キャラバンに参加してメディナに到着し、そしてそこから、メッカへ向かったんだ。」
バットゥータは、話し終わると、カップに入った紅茶を啜りました。

「それがすべてですか、ご主人さま？ 」
バットゥータは微笑んで、少年を見ました。
「そんなことはないよ、サイード。私はその旅で、多くのものを見た。とても大好きになった国や人々もいる。
でも、もっと多くのものを見たかったので、モロッコに戻らず旅を続けることに決めたんだ。
そして、イラクやペルシャの巡礼者が故郷へ戻るキャラバンに加わった。」

「メッカからの帰りで、シルクロードに沿ってエスファハーンやバグダッドへ行き、アフリカの海岸線、カスピ海やアラル海、伝説的なサマルカンドを旅した。」

バットゥータが最後の言葉を放った時、彼の目がなぜ輝いていたのかサイードには分かりませんでした。

「サマルカンド？ サマルカンドとは何ですか？ 」

「サマルカンドはね、世界で最も美しい都市の一つだ。

トルコとペルシャのオード（讃歌）は、このサマルカンドの美しさを讃えているものだと聞いたよ。優美な庭、アーチ、ミナレット（光塔）、千金の値打ちがある壁画…。他の何とも比べられない美しさについて語っているそうだよ。

砂漠の中心で華やかに輝く都市だ。」

「市場にはシルクロードを渡ってきた様々な商品が溢れ、そこでは最高の光沢仕上げをした磁器を製造しているんだ。けれど、サマルカンドの女性がそのエリアで最も美しいことと、庭があまりに美しくて時間が経つのを忘れて散策してしまうことなんて、夢にも思わなかったね。ここなら、死が訪れる最後の日まで何の不自由もなく暮らせると確信したよ。」

10. イブン・バットゥータ

「もっと聞かせてくれませんか？」
話に魅了された少年は、バットゥータに言いました。

「私がサマルカンドを訪れた時、私は学んだんだ…。」

「この国はその少し前、邪悪な統治者と宮殿の陰謀によって衰弱していたんだ。
それは、ジンギス・カンが包囲した際に宮殿に残っていた一部隊を簡単に打ち負かすほどに。そして、カンは、モンゴル軍にサマルカンドに火をつけるよう命令した。この破壊行為の悲惨な傷跡がいまだに残っていた。都市のほとんどが破壊され、多くの建物が廃墟となり、中心部は果樹園や門もなく空洞化していた。その光景には涙を誘われたよ。」

「私は、はっきりと悟ったんだ…。人間とはどれほど愚かな生き物かと。世界で最も大きく、最も美しく、最も素晴らしい古代都市の一つが、たった１人の人間の行為によって歴史の端書きへと葬られてしまうものなのだと。」

イブン・バットゥータは、目を半ば閉じながら当時を回想し、ティーカップを再び口元へと運びました。

少年は、それまで楽しそうに旅の思い出を話していたバットゥータの表情が、サマルカンドのことを話始めた途端に暗くなったことに気付きました。

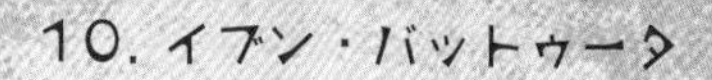

涙がゆっくりとバットゥータの頬を伝って流れました。

そして、少年は気付いたのです。

旅とは、ただ単に新しい都市を訪れ、その道中でたくさんの人々と知り合い、たくさんのものを見るだけではなく、
旅が終わった後に自分の心の中に刻んでおいた“場所”を訪れることでもあるのだと…。

11. ジェームズ・クック

JAMES COOK（1728-1779）

オーストラリアと南極海の探検

「現在の私があるのは偶然がもたらしたとしか言いようがない。」

ある日の午後、ジェームズ・クックは、タヒチの海を眺めながらガイドのトゥパイアに言いました。

「子どもの頃は家族が多かったので、いつも食べるものに困っていたんだよ。

だから、13 歳で学校を辞めて働かなければならなかったんだ。私の両親は、食糧雑貨店の見習いの仕事を見つけてきてくれた。でも、主人のサンダーソンさんは、私が他のことに興味があると気付いたんだ。短い休憩時間に港をうろついたり、地元の旅人から素晴らしい航海の話を聞いたりしている姿を見てうんざりしていたみたいだね。サンダーソンさんは、2 人の船主に私を紹介してくれたんだ。

それが、商船に乗るきっかけだったんだ。」

トゥパイアは、太平洋に関する幅広い知識を持つタヒチ人でした。存在が噂されていた南方大陸メガラニカを探す長い旅で、クックの船に加わったのでした。

そして、驚くかもしれませんが、クックがこの仲間に話した人生の控えめな始まりは、本当の話なのです。クックの初航海は炭坑船でした。それから 3 年して、商船の船員として働き始め、最終的にイギリス海軍に志願したのです。

11. ジェームズ・クック

「海軍には、航海の経験があるということで水平として入隊できたんだ。その時は嬉しかったね。

7年戦争の戦線を目撃しながら、地形学と地図作製の能力を証明してみせたんだ。そうするうちに、私は気付いた。

航海学というのは、船を走らせるだけではないということをね。それ以上の意味があるんだ。新しい水平線を探検し、

まだ名のない島を発見する…。私には、まだまだ学ぶことがたくさんあった。四分儀とコンパスを手に、力量や測量、

距離の計算や測定に何時間も費やしたよ。こうして、正確なメガラニカの初めての地図を作ろうと思いついたんだ。

そういった訳で私たちはニュージーランドに来たんだよ、トゥパイアさん。そして、ノースアイランドとサウスアイランドを分けるこの海峡を発見することができたんだ。」クックは誇らしげに説明しました。

「クック海峡ですよ。今はあなたの名前がついています。」トゥパイアはにやりと笑いながら言いました。

「ああ、そうだ。その後、イギリス王立協会とイギリス海軍本部から、エンデバー号の船長として任務を受けたんだ。

私の任務は何だったかって？金星の太陽面通過を観察、記録することだ。数年は時間を要する任務だ。」

「そして我々は、ヨーロッパを出発したんです。」

この旅でクックの助手をした天文学者のチャールズ・グリーンが言いました。

「どれくらいの時間がかかるかは、まさに“神のみぞ知る”でしたね。」

「その通りだ、友よ。もし我々が航海に失敗したら、君は太陽系の

規模や惑星間の距離を算出することはできない。

そして何より、壊血病が乗組員たちの体を脅かす前に、我々は目的地へ向かわなければならなかった。ザワークラウト（ドイツ料理：キャベツの漬物）と未発酵の麦芽を乗組員たちに与えながら、食糧で実験をしたね。

そして、食べようとしなかった人たちは、厳しい罰をうけてしまった…。」

「結果として、５人に１人の乗組員にその教訓を与えることになりましたね。」

トゥパイアの驚く顔を見ながら、グリーンがつけ加えました。

「壊血病のために、あの食事制限は必要な判断だったんだ。

そうして、金星を観察したいという一心にタヒチに到着したんだ。」

「でもそこから、物事は厄介になっていきましたよね。」グリーンが言葉を挟みました。

「厄介？」トゥパイアが聞きました。

「そうだ。タヒチは、私たちにとって未知の世界だった。この島はリラックスしていて、住民もいた。島の住民たちは親切で、しきりに我々と商売をしたがっていたね。楽園のような世界が作れてしまうなんて信じがたいが、まさにそんな感じだった。だから、我々にとって金星が特別な存在になったのかもしれない。」

「そして、観測日は、期待通りの天気だった。雲一つなく、空は完璧に澄み渡っていた。太陽面を金星が通過する様子をはっきりと見ることができるよう、あらゆる状況が我々の味方をしてくれたんだ。けれど、持参した特別な天体望遠鏡で金星の小さな黒点を見た時、我々はタヒチ島に強力なライバルがいることに気がついた。」

「金星を取り巻く大気や薄暗い影があまりにはっきり見えすぎて、人によって観測した通過時間が違ったんだ。」

観測が終わると、すぐに出発するよう指令があり、それから長い年月の間、エンデバー号とその乗組員たちは、南太平洋を航海し、『北半球とバランスを保つために存在する』と18世紀の科学者たちが唱えてきた南方大陸メガラニカを探す冒険をしました。彼らは約2ヶ月もの間、陸が見えない航海を続けました。

「親愛なる友よ、最悪だったのは…。」クックがトゥパイアに言います。
「南方大陸メガラニカを見つけることができなかったことだ。」

12. 赤毛のエイリーク

ERIK THE RED (950-1003)

バイキングの航海

その朝、起こりうる最悪の事態が起こりました。

「ああ…我が息子、エイリーク！一体何をしたっていうの！？」
バイキング当局を代表する４人の男たちが、母親を押しのけてエイリークを逮捕した時、母親は嘆きました。
「父親が頑固なせいで、ノルウェーを追放されたことから何も学ばなかったというのかい？ 父親と同じように、周りといさかいを起こすよりも、ましなことを考えつかなかったのかい？アイスランド人たちが、私たちに寛大で居続けてくれるはずがない。『彼らは、ささいな口論であっても私たちを追放することに躊躇しない』と忠告してきたでしょう。」
「ああ、でも今となっては後の祭りだ。一体どうしたら良いの…。」母親はすすり泣きました。
「この海の先に、私たちを歓迎してくれるような土地は見つからないよ。
氷と、冷たい海。そして死が私たちを待っているんだ…。」
母親は、部屋の角の小さな椅子に腰掛け、自分にはどうすることもできないと心の奥で悟りながら、息子にふりかかる現実を目にして嘆き悲しみました。

「…心配しないでください。なんとかなりますから。」
息子は母親を安心させようと、こう言うと、男たちに押さえつけられながらも赤毛の濃い髭を撫でました。

12. 赤毛のエイリーク

エイリークは、バイキングの法律では自分に寛大な処置が取られることなんて、まずないことを知っていました。彼の期待とはほど遠い内容の公式文書に沿って行われることも知っていました。バイキングが問題を解決する方法と言えば、一族の意見も聞かずに、自分たちの法律で私的制裁を加えるというものでした。

そして、正確に言えば、エイリーク自身もそうしてきたのです。

議会に集まったバイキングたちは、若きエイリークが関わった争いとその他の犯罪を批判し、すぐに投獄するよう命令しました。しかし彼らは不注意にも、エイリークとその家族が小さな船に乗り、少数ながらも忠実な従者を連れて島を逃れるチャンスを与えてしまったのです。エイリークたちは必死でした。１世紀前に探検家のグンビョルン・ウールフスソンが作った地図を手に、水平と詩人が讃えてくれる国へ向かおうとしていたのです。ウールフスソンは探検旅行で、「アイスランドの西岸沖にしっかりとした地面のようなものを目撃した」と記していました。エイリークは、その島を見つけ出して新しい定住の地にしようと決心しました。「我々は、自分たちの国をつくらなければならない。アイスランドの制約を逃れる、我々自身の領土に！」とエイリークは言いました。「我々はこの土地で歓迎されていない。だからこそ果敢に航海へと出発し、自分たちで統治する新しい領土を見つけるのだ！」彼は仲間たちに断言しました。

船を脅かす氷山がひしめいた危険な航海に出発してから数日後、見張り番が興奮して叫びました。

「陸だ！ おーい、陸だぞ！遠方に陸が見えるぞ！」

みな、見張り番がさす方向へと走り寄っていきました。それは巨大な島でした。

彼らは後にこの島を、

“グリーンランド＝緑の土地”

と名付けました。

12. 赤毛のエイリーク

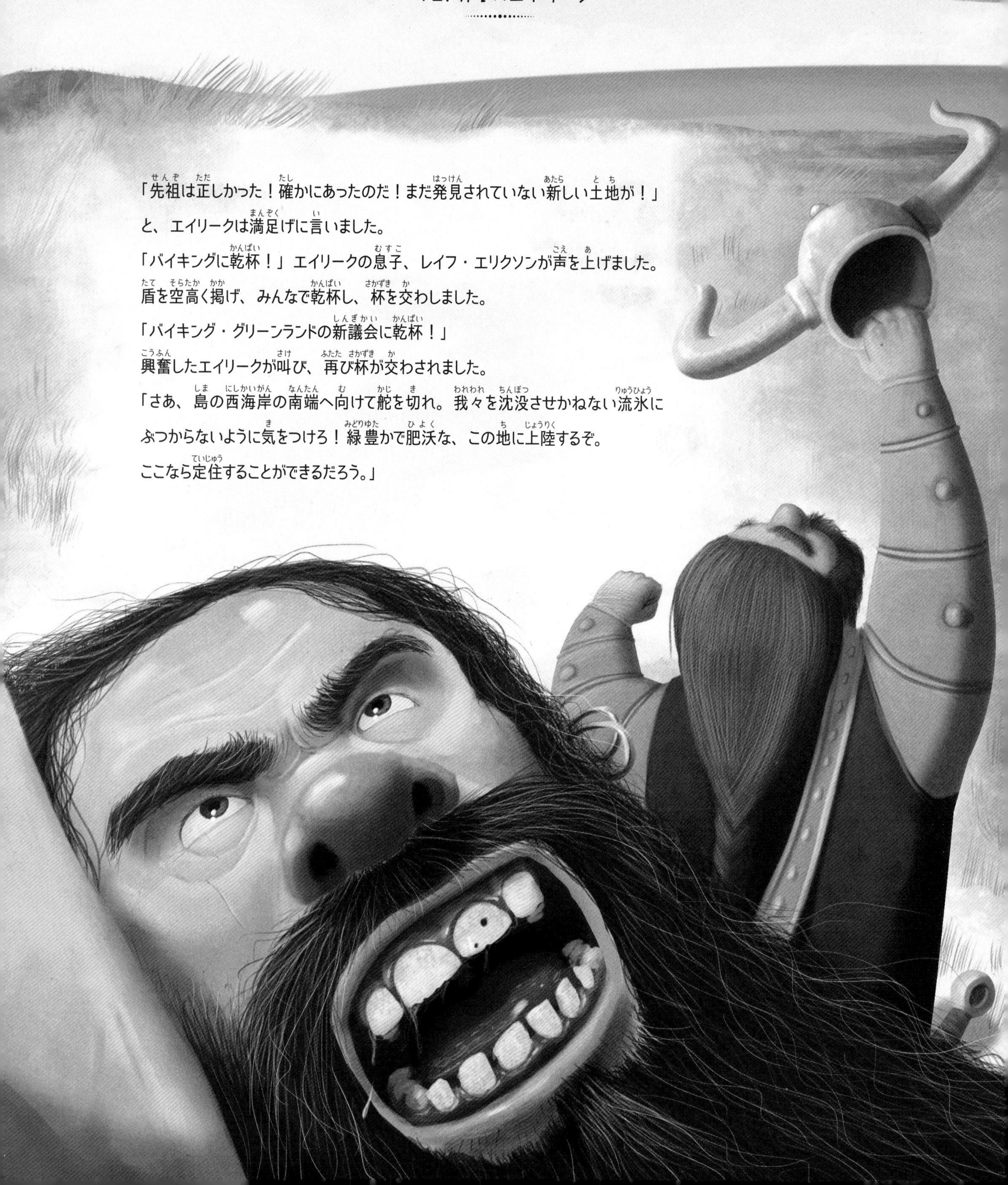

「先祖は正しかった！確かにあったのだ！まだ発見されていない新しい土地が！」

と、エイリークは満足げに言いました。

「バイキングに乾杯！」エイリークの息子、レイフ・エリクソンが声を上げました。

盾を空高く掲げ、みんなで乾杯し、杯を交わしました。

「バイキング・グリーンランドの新議会に乾杯！」

興奮したエイリークが叫び、再び杯が交わされました。

「さあ、島の西海岸の南端へ向けて舵を切れ。我々を沈没させかねない流氷にぶつからないように気をつけろ！緑豊かで肥沃な、この地に上陸するぞ。

ここなら定住することができるだろう。」

そうして、新しい国を初めて歩いた日、エイリークは仲間たちが振り返って彼を見るほど力一杯地面を叩きました。

彼は何も言う必要はありませんでした。この一打が、彼の王国となるこの土地につけた最初の印になったのです。

そして、ここからしなければならないことは、新しい家を作ることでした。

「放牧、開墾、貿易。我々が優先して取り組むべき任務はこの３つだ。この土地は、我々が必要とするすべてを与えてくれる。そして、我々を否定した奴らに、“北海の海賊”としての名を知らしめるのだ！」エイリークは、拳を空高く掲げ、今来た海の方角を見ながら叫びました。

「我々の国境を越え、我々の土地に足を踏み入れ、我々の女や子どもに手を出し、我々の作物を食べようとする者がいるなら、そいつはまず我々と対峙しなければならない！」

「エイリーク、万歳！グリーンランド、万歳！」

バイキングたちは、ヘルメットを手に熱狂的に叫びました。

「さあバイキングたちよ、結束しようではないか！
今日は、生まれたばかりの王国の１日目だ。遅れをとるなよ！
この島を今すぐ探索しなければ。すべて調査し、家を建て、
家畜に餌をやれるようになった時、アイスランドに戻ろう。
そして、我々が見たものすべて、我々が達成したものすべて
を語るのだ。数百人という入植者たちが押し寄せるだろう。
間違いない。彼らは、家族、家畜、穀物をもたらすだろう。
グリーンランドは、新しいバイキングの故郷となるのだ。そして、
私が王になるのだ！」

言い終わると、エイリークは母親の方を見ました。

母親の目は涙で潤んでいました。

それから何年も経った西暦 1000 年頃、エイリークの息子のレイフはさらに西方面へ探検旅行に出発しました。

「私にそっくりだ！自分の目で世界の果てを見ずにはいられないんだ。」

エイリークは誇らしげに言いました。

バイキングのサガ（物語）によれば、レイフの旅は危険を伴う長いものでしたが、恐らくニューファンドランドの近く、北米の海岸に到着したと伝えられています。彼はその土地に、少数のバイキングを残して定住させました。レイフは、アメリカを植民地化した初めてのヨーロッパ人になりました。

13. アメリア・イアハート

AMELIA EARHART（1897-1937）

女性飛行士のパイオニア

その日は、なぜか感情と緊張が溢れる１日でした。

当時のアメリカ合衆国のファーストレディだったエレノア・ルーズベルトは、アメリア・イアハートが操縦する飛行機で移動してきました。２人は無事帰宅しましたが、興奮し過ぎてまだ眠れない状態でした。

そこで、彼女たちはホワイトハウスのテラスでともに腰かけたのです。

「初めて飛行機を見たのは10歳の時でした。それは、アイオワ州で開催されたステート・フェアで見た展示でしたけど。その時、私は『錆びたワイヤーと材木で作られたものなんて面白くない』と思っていました。今振り返ると、そのことでさえ興味深く感じます。あの当時から考えると、随分と感じ方が変っていますね。」

アメリア・イアハートは友に語りかけました。

「私が生まれてから家族は旅をし続けてきました。アイオワ、ミネソタ、ミズーリー、シカゴ…。私たち姉妹が、カナダのトロントで戦場で負傷した戦闘機のパイロットたちを治療する看護婦のボランティアを始めた頃に、少しずつ変わり始めたのです。“飛行機熱”が私を襲ったのは、その頃でした。またその頃、王立航空会社も訪れました。」

就任したばかりのファーストレディは、注意深く話に耳を傾けていました。自分の国で草分け的存在である女性の体験した話を聞くことほど、彼女を魅了するものはありませんでした。

「けれども、それから時は過ぎていきました。私の家族はカリフォルニアに落ち着き、私は飛行機のことを忘れなければならなかったのです…。」アメリアは話を続けました。

「ですが、『空を飛びたい！』という私の欲求がなくなってしまった訳ではありませんでした。ある日、ロングビーチで開催された航空ショーを見に行った時です。そこで完全に心を奪われました。航空学が私の生きるべき道だと確信したんです。」

「そして、私がしきりに懇願すると、誰かが複葉機（主翼が 2 枚ある飛行機）に搭乗させてくれました。約 10 分間、ロサンジェルスの空を飛んだんです。それは想像を超える素晴らしさでした！離陸してすぐに感じたのです。私は残りの人生、空を飛んで過ごすことになるだろうと。」

エレノアは微笑みました。彼女は、アメリアが 1923 年に国際航空連盟のパイロット免許を取得した 16 人目の女性だということを知っていました。また、アメリアの最初の教官ネタ・スヌーク（また別の先駆者的な女性パイロット）は、生徒であるアメリアをパイロットとして決して認めなかったということも知っていました。けれど、アメリアの強い精神力が最終的に目標を達成させたのです。

「それから、私の人生を変えた電話が鳴る 1928 年の 4 月まで随分と待たなくてはなりませんでした。『大西洋横断飛行を達成する初めての女性パイロットになりませんか？』と電話の向こうの声は言いました。後になって分かったことですが、それは H.H. ライリー大尉だったのです。もちろん私はすぐ引き受けました。」

こうして 1928 年、パイロットのウィルマー・シュルツと、整備士のルイス・ゴードンとともにヨーロッパへ向かい、見事大西洋横断を達成しました。

「ミス・リンディという愛称で呼ばれていたんですよ。」彼女は誇らしげに言いました。

彼女が一躍時の人となると、出版者のジョージ・パットナムが記者会見やメディアとのやり取りを手伝いました。彼はまた、アメリアの著書“Twenty Hours, Forty Minutes（24時間40分）”の出版も手伝いました。そうして、1931年に彼らは結婚しました。

ある日、アメリアはジョージに真剣に話をしました。彼が飛行に反対するかもしれないという不安があったのです。

「危険であると分かっていても、私がやりたいから引き受けるのだということを理解して欲しいのです。」

「私は、男性が成し遂げたことを女性も試してみるべきだと思います。もし、その試みに失敗しても、後世の人たちのために挑戦を続けていくべきだと思うのです。」

これ以降、彼女は様々な団体と協力して大会を開催しながら、女性の飛行業界進出を推進することに力を注ぎました。

「この時点で、私は単独大西洋横断飛行を決行する準備ができたと感じました。他の女性たちも挑戦する準備はできていましたし、夫のジョージも私の計画を応援してくれていました。」

「リンドバーグ以来、1932年まで、大西洋横断の単独飛行を達成した人はいませんでした。カナダのニューファンドランド島、グレース湾を出て、イギリスに到着する計画でした。

この飛行の準備のために、私は人生の５年間を捧げました。そしてついに、改造されたロッキード・ベガの操縦席に座り、離陸の準備が整ったのです。」

「コーヒーも飲まず、ずっと起きていられたのですか？紅茶も飲まれなかったの？」

とファーストレディは聞きました。

「あらいやだ！でも、気つけ薬は持って行きましたよ。あとは、保温ポットに入れたスープとトマトの缶ジュースを１本。このせいで機体が少し重くなりました。

最終的に北アイルランドに着陸しましたが、最初、自分がどこにいるのか分かりませんでした。
男性が１人、近づいてきたので、私は機体から降りて彼に尋ねたのです。」

「ここはどこですか？」

「ギャラガーの放牧地ですよ。遠くから飛んで来たのですか？」彼は不思議そうに言いました。

「その瞬間、私は成功したのだと知り、『アメリカから来ました』と答えたんです。」

この飛行はとても重要な意味を持っていました。理由は２つあります。１つは、女性で初めての大西洋単独横断飛行を達成したから。もう１つは、飛行士で初めて２度目の大西洋横断飛行を達成したからです。
彼女は、女性による連続飛行において、最長距離と最速の飛行記録を樹立しました。
彼女は、空が“故郷”だという感覚に忠実に行動し、満ち足りていました。

14. ヴァスコ・ダ・ガマ

VASCO DA GAMA（1460頃 -1524）

航海時代

「不可能に見えたが、彼は成し遂げてしまった。」水夫の１人が言いました。

「ああ、その通りだ。」また別の１人が感心して答えました。

「フランス人は、辛うじて持ちこたえることができたんだ。」

「ヴァスコ・ダ・ガマ長官が、10 隻の船をリスボン港へ入港するのを阻止した。

彼らは二度と、我々の船を脅かすことはないだろう。奴らが危険を冒したくなければ、それが得策だと言える。」

「見ろ、我々の船が戻って来るぞ！」

ヴァスコ・ダ・ガマが成し遂げたことは、最高の称賛に値するだけでなく、彼の上司たちを惹き付けました。

確保された船は決して舷側に付くことはなく、荷物を積んだまま足早に港へと引き返しました。

「彼はすぐに、宮殿へ招集されるだろう。そしてこの手柄に対する報酬を与えられるのだ。」水夫たちは口々に言いました。

“幸運王”の異名を持つマヌエル１世は、義理の兄であるジョアン２世からポルトガル王位を引き継いだ後、アフリカ沿岸からインドへの航海を提案しました。

「インド洋に到達することに我々は全力を注がなければならない。この航路を進めることができれば、豊かなインドへの扉を開けることとなるだろう。」香辛料や金銀財宝を山のように乗せた船が帰還する様子を想像しながら、国王マヌエル１世は言いました。

「国王、これらの国との貿易の配分率は、今はアラブ人が管理しています。

我々の手中におさめようではありませんか。」

「ダ・ガマ一族について、何が知っているか？戦場で優れた能力があるという話を聞いたが」と国王は尋ねました。

「大判事エステバンは最近亡くなりましたが、立派な後継者となる息子が 2 人おります。」

「それはよい。私の望みを彼らに伝えて来るが良い。」

それから数年後、ダ・ガマ兄弟は、国王の命令に従って艦隊を監視していました。

「途方もない夢の中でさえも、父さんはここまで想像することはできなかっただろうな。」

「まったくその通りだよ。」

ヴァスコは誇らしげにうなずきました。4 隻の船と自分たちの思いのままになる人間が 200 人も仕えているのですから。

「今なら、大西洋へ航海に出て南アフリカへ向かい、バルトロメウ・ディアスが名付けた"嵐の岬"に到達することだってできる。」

「ジョアン 2 世に敬意を表して"嵐の岬"を"喜望峰"と再び命名しよう。」

「そうしようではないか。」

こうして、彼らは艦隊の航海準備を行い、1497 年にリスボン、テージョ河口の港から出発したのです。

アフリカの海岸線に沿って航海し、喜望峰を回って、インドを探索するという計画です。

数週間の厳しい航海の後、岬を超えて、アフリカの東海岸に沿って北上していきました。

「ここで休憩した方がいいだろう。乗組員が病気になっている。慎重にいかなければ、
みな壊血病で死んでしまうぞ。いずれにしても、我々は今モザンビークのケリマネ川の近くだ。」
しかし、地元マフィアに襲撃され、逃亡を余儀なくされたため、彼らの休憩は束の間のものでした。
オスマン帝国の君主より提供されたガイドの１人が、モンバサで権力を持つアラブの君主から「ポルトガル船を罠にかけるように」と秘かに指示を受けていたのです。しかし、偶然この襲撃に気付き回避することができました。
ヴァスコ・ダ・ガマは引き続きケニヤへと航海し、ついにインドに到着しました。

インドで何度か貿易の交渉を試みたものの、成功には至りませんでした。しかし、ヴァスコは最後にこう伝えました。
「同志よ、我々はポルトガルへと戻らなければならない。今取り交わした契約で、少なくとも今後の商取引が保証された。」

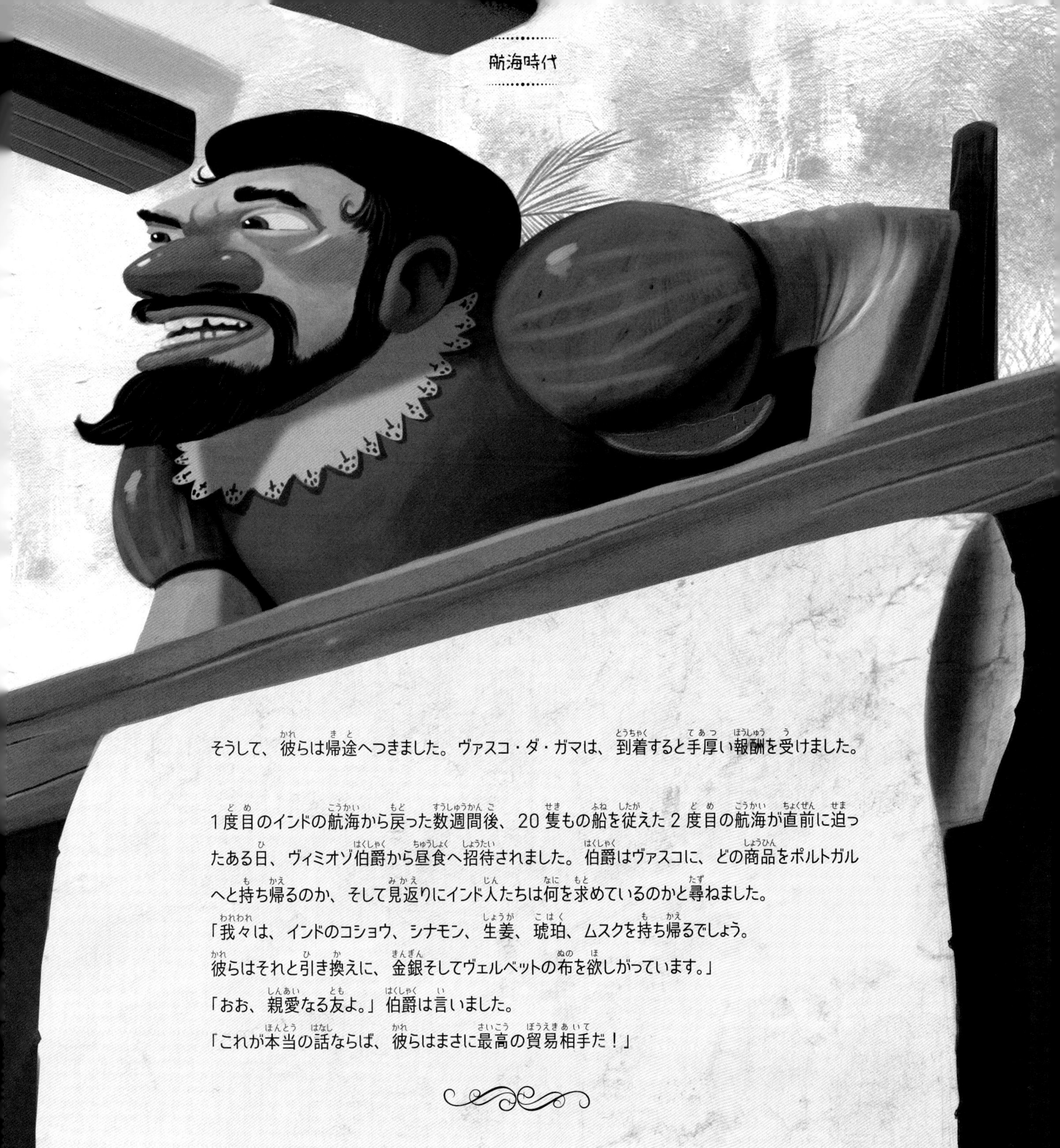

そうして、彼らは帰途へつきました。ヴァスコ・ダ・ガマは、到着すると手厚い報酬を受けました。

1度目のインドの航海から戻った数週間後、20隻もの船を従えた2度目の航海が直前に迫ったある日、ヴィミオゾ伯爵から昼食へ招待されました。伯爵はヴァスコに、どの商品をポルトガルへと持ち帰るのか、そして見返りにインド人たちは何を求めているのかと尋ねました。

「我々は、インドのコショウ、シナモン、生姜、琥珀、ムスクを持ち帰るでしょう。
彼らはそれと引き換えに、金銀そしてヴェルベットの布を欲しがっています。」

「おお、親愛なる友よ。」伯爵は言いました。

「これが本当の話ならば、彼らはまさに最高の貿易相手だ！」

15. ダイアン・フォッシー

DIAN FOSSEY (1932-1985)

ゴリラは私の家族

「やっと、ルワンダで一緒になれたわ。」
寒い冬の朝、ダイアンは思いました。彼女の故郷カリフォルニアとまったく異なる風景、
取り囲む自然の小さな部分までも楽しんでいる自分を感じながら。
彼女の両親は、ダイアンが幼い頃に、小さな金魚をペットにすることしか許してくれませんでした。

「ウーグー、ウグー、ウフグー、ウグー。」毎朝そうしているように、ゴリラの群れが彼女に
挨拶をしました。2匹の赤ちゃんゴリラが一緒に遊ぼうと近づいてきます。

この短期間に、どれほど変化が訪れたことでしょう。
彼女は、ケンタッキー州でセラピストとして働き、静かな生活を送っていました。しかし今や、
荒れ果てた危険な領域の中心に位置する、遠く人里離れたヴィルンガ山地で大型霊長類とともに
仕事をしています。ダイアンは数ヶ月前にカリソケ研究センターを設立したばかりでしたが、
ゴリラは既に彼女を仲間の一員として受け入れていました。そして、彼女にとって、
ゴリラは彼女自身の家族よりも大切な存在になっていました。

「おはよう！」赤ちゃんゴリラに近づきながら、
ダイアンはいつものように話しかけます。

15. ダイアン・フォッシー

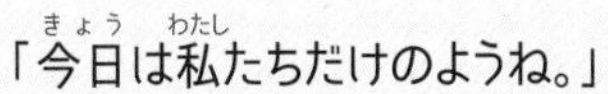

「今日は私たちだけのようね。」

笑いながら言うと、隅々をチェックしながら、この悪天候で地元の密猟者が近づけないことを確認しました。

そうなのです。彼女はこの日、本当についていました。そして、このラッキーを利用しない手はないと感じていました。毎朝起きると、彼女の頭に最初に浮かぶのは、忌まわしい密猟者のことでした。ベッドの向かい側の壁には、密猟者たちから没収した多くのマティーチェ（ナタ）の中の１本が掛けられています。この“トロフィー”を見ると、彼女はこれからも油断してはならないことを思い出すのです。

「戦利品としてゴリラの手から灰皿を作ったり、頭部を壁に飾ろうだなんて、一体どうしたら思いつくの！？」このエリアにハンティングツアーにきた観光客に対して、ダイアンは声を荒げたものでした。

ゴリラは私の家族

「この巨大な類人猿から人類が進化したことは、重要ではないの？

彼らの存在がなければ、私たちは存在しなかったかもしれないってことは、どうでも良いの？」

けれども、現状への怒りを爆発させても、効果はほとんど見られませんでした。同じ密猟者たちが、繰り返し何度も訪れるのです。彼らは、大量殺りくを止めようとしているダイアンの存在は無いものように振る舞っていました。

「…いや、絶対にだめだわ！」

ダイアンがそう言うと、ゴリラの家族が彼女をなだめるようにして集まりました。

「ほとんどの人間には良心があるけど、彼らにはそれは通用しない。あなたたちを守るために、私に力を貸してね。」

ダイアンは、彼女に手を差し伸べたオスのリーダー、ディジットに歩み寄りました。

ディジットは、言っていることがすべて理解できたかのように彼女のことを見つめました。

ダイアンが、友情の印としてディジットの頭を撫でて唸り声を上げると、また彼もそれに応えました。

「私たちは会話ができているような気がするわ。」

彼女は声を出して笑うと、切ったばかりのセロリが入ったバスケットを開けて、ディジットと一緒に食べました。

ダイアンは微笑みながら、彼女がこの土地に到着した当時を思い出していました。

その当時は、ゴリラを見つけることさえ、とても難しかったのです。

「いったいゴリラたちはどこにいるの！？」

何も目撃できていないのに、月日ばかりが過ぎていくという状況で、ダイアンはガイドに向かって尋ねました。

「ダイアン、急いでこっちに来て！」ガイドの１人が叫びました。

彼女がルワンダに到着してから約２ヶ月が経とうとしていた日のことです。

「ゴリラの糞がありますよ！ それほど遠くないところにいるはずです。」

ダイアンは目を見開きました。ゴリラの糞！これこそ、ダイアンが探し求めていたサインでした。

ゴリラはこの近く、もしかしたら数メートル先にいるかもしれないのです。

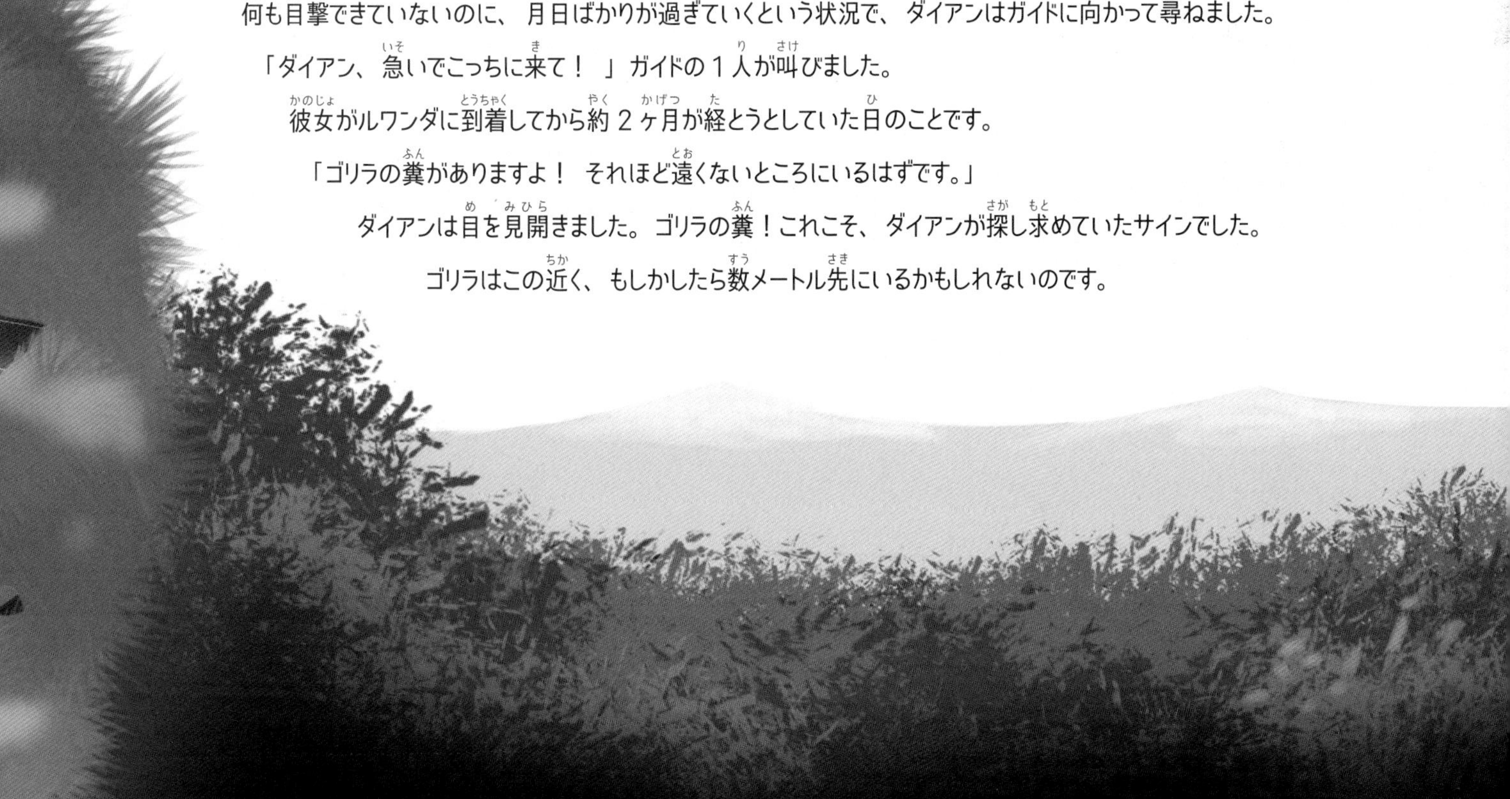

15. ダイアン・フォッシー

そうして、未開の森林を切り開きながら進んで行くと、ゴリラの母親と赤ちゃんが見えました。
しかし突然、その中央から激しいとどろきが聞こえました。
そこにはオスの巨大なシルバーバックゴリラが立っていました。ディジットです。
ダイアンの存在を察すると、ディジットは力強い拳で胸を叩きました。
決闘なくして彼の家族には指１本触れさせないという忠告です。けれども、もちろん彼はこの“来客”を脅す必要はありませんでした。なぜならダイアンは、ただゴリラと意思疎通を図り、友達になりたかっただけなのですから。ダイアンに唯一必要な“武器”は、まさに辛抱することでした。

ダイアンは不信、迫害、威嚇のうめき声を数ヶ月耐え抜き、ようやくグループの中へと受け入れられたのです。ディジットが彼女を脅威ではないと認識し、公平に扱うようになるまでに、さらにもう少し時間がかかりました。そうして、２人は友達になったのです。彼らは、握手まで交わしました。

「あなたたちゴリラは、私が会った多くの人間とは比べものにならないほど高貴な存在だわ。」
ダイアンはディジットに打ち明けると、彼は彼女を見つめ返しました。
彼女は、一度命の本当の価値に気付けば、これまでの議論よりも、これからの未来のための議論に力を注いでいくことができると信じていました。ゴリラは、私たちの過去だけでなく、未来も映し出しているのです。

彼女を囲むゴリラたちを見つめて、こう誓いました。
「誰にもあなたたちを傷つけさせないわ。私の人生を通して注意しなければいけないと思うけど。」

世界の探検家…

1. ジャック・カルティエ
(1491-1557)
フランスの航海者、探検家。
北アメリカに３度航海をし、
初めて北アメリカの陸地を
探検した。

3. ロアール・アムンセン
(1872-1928)
ノルウェーの探検家。初めての
南極点到達を率いた。北極点にも
到達し、初めて両極点へ到達した。

7. フランシス・ドレーク
(1543-1596)
イギリスの海賊、探検家であり、
貿易商人、海軍提督。
スペイン無敵艦隊を壊滅させた
アルマダ海戦ではイギリス艦隊副
司令官として指揮をとった。

5. ジャック＝イヴ・クストー
(1910-1997)
フランスの海軍将校、探検家、
研究者。海洋学者として海
や海中生物の研究を行う。
潜水呼吸装置スキューバを
開発した。

4. クリストファー・コロンブス
(1451頃-1506)
ジェノヴァ共和国の航海者、
地図製作者。
カスティーリャ王国の援助を得て、
1492年にアメリカを発見した。

14. ヴァスコ・ダ・ガマ
(1460頃-1524)
ポルトガルの航海者、探検家。
ヨーロッパから、アフリカの喜望峰
を回ってインドに達する航路を初め
て開拓した。ポルトガルの海上での
繁栄の基盤となった。

11. ジェームズ・
クック (1728-1779)
イギリスの航海者、探検家、
海図制作者。当時の世界地図
を書き換える太平洋周辺の多くの
地域や島々を発見した。

9. アレクサンダー・
フンボルト
(1769-1859)
ドイツの、探検家、地理学者、
天文学者、人類学者、博物学者。
南アメリカでの探検後、その体験を
『コスモス』に記した。
近代地理学の祖とされている。

探検家 一覧

12. 赤毛のエイリーク
(950-1003)
ノルウェーの探検家、商人、バイキング。ヨーロッパ人として初めてグリーンランドを発見し、居住地を建設し族長になった。

2. マルコ・ポーロ
(1254-1324)
ヴェネツィア共和国の商人、探検家。ヨーロッパ、中央アジア、中国を旅し、その経験を『東方見聞録』を口述した。

10. イブン・バットゥータ
(1304-1369)
モロッコの探検家。最も偉大な旅行者の１人といわれている。約 30 年間にわたる旅を口述した書籍『三大陸周遊記』（通称リフラ Rihla）が有名。

8. メアリー・キングズリー
(1862-1900)
イギリスの作家、探検家。当時未開の地であったアフリカを探検し、ヨーロッパの植民地社会に影響を与えた。

13. アメリア・イアハート
(1897-1937)
アメリカの伝説のパイロット。女性初の大西洋単独飛行などを成し遂げた。赤道上世界一周飛行に挑戦したが、太平洋の上空で消息を絶った。

15. ダイアン・フォッシー
(1932-1985)
アメリカの動物学者、生物学者、動物行動学者。ルワンダ、コンゴでマウンテンゴリラの調査と保護に生涯を捧げた。

6. デイヴィッド・リヴィングストン
(1813-1873)
スコットランドの宣教師、探検家、医師。ヨーロッパで初めてアフリカ大陸を横断。

ARと読むシリーズ

世界の冒険家

GREAT BOOK OF EXPLORERS

http ://www.parramon.com
E-mail： parramon@paidotribo.com
企画： パラモン・パイドトリボ
監修： マリア・フェルナンダ・カナル
絵： セザール・サマニエゴ
文：カルメン・ドミンゴ
デザイン：ジョルディ・マルティネス

デジタルコンテンツ： Books2ar.com

※ 本書は Parramón Paidotribo発行
「GREAT BOOK OF EXPLORERS」の日本語版です。

発行日：2022年11月30日 初版第1刷発行

発 売：アルファブックス／アルファ企画
〒160-0004
東京都新宿区四谷3-11第2光明堂ビル4F
Tel. 03-5360-6531 Fax. 03-5360-6544
http ://www.e-webpro.jp
alphabooks@e-webpro.jp

Printed in China

ISBN 978-4-910949-00-0 C0070

※本書は2017年現代企画室刊「ARと読む 世界の冒険家」の復刊となります。